Conheço Flavio desde a infância, pois nossos pais serviram juntos no ministério e nós congregamos juntos. Ele não é apenas um líder e pregador que admiro e respeito; é um amigo. Então posso endossar não apenas o seu ensino (que tanto me abençoa) como também a sua pessoa (cujo testemunho respalda seu ensino). O conteúdo deste livro começou como a proposta de uma conferência anual e só depois se transformou em obra literária. Mas tanto a conferência quanto o livro são encargos divinos que o Senhor lhe deu. Recomendo de coração!

LUCIANO SUBIRÁ
Pastor da Comunidade Alcance,
em Curitiba (PR), conferencista e escritor

FLAVIO VALVASSOURA

SUPERANDO LIMITES

Prepare-se para grandes conquistas

mundocristão
São Paulo

Publicado por Editora Mundo Cristão

CIP-Brasil. Catalogação na publicação
Sindicato Nacional dos Editores de Livros, RJ

V289s

Valvassoura, Flávio
Superando limites: prepare-se para grandes conquistas / Flávio Valvassoura. - 1. ed. - São Paulo: Mundo Cristão, 2018.
176 p. ; 21 cm.

ISBN 978-85-433-0313-0

1. Espiritualidade. 2. Vida espiritual. I. Título.

18-48428 CDD: 133.9
CDU: 133.9

Categoria: Inspiração

Publicado no Brasil com todos os direitos reservados por:
Editora Mundo Cristão
Rua Antônio Carlos Tacconi, 79, São Paulo, SP, Brasil, CEP 04810-020
Telefone: (11) 2127-4147
www.mundocristao.com.br

1ª edição: maio de 2018

À minha esposa, Ana Paula, amiga e fiel companheira. De todas as conquistas que um homem almejaria ter, conquistar o seu coração foi a mais preciosa e valorosa para mim. Juntos temos conquistado sonhos, superado limites e ido além.

Obrigado por acreditar sempre!

Eu te amo.

Sumário

Agradecimentos

À Editora Mundo Cristão, por todo incentivo, investimento e parceria.

Ao meu editor, Maurício Zágari, que tem o raro dom de saber o que alguém quer dizer e encontrar a melhor forma de dizê-lo.

Aos meus pais, Aguiar e Lúcia, pelo modelo constante de perseverança e dedicação. A história de superação e conquistas incorporada por vocês é um legado a ser ecoado por gerações. Obrigado por mostrarem o caminho!

Às minhas filhas, Laura e Giovanna, tesouros que o Eterno me confiou. Vocês são fonte de alegria e ânimo para o coração.

Aos colegas de jornada na Comunidade da Esperança Daniel Antonio, Daniel Cavalari, Paulo Trois e Eliezer França. Sem a cumplicidade e a lealdade de vocês, as conquistas dos últimos anos seriam impossíveis. Recebam minha gratidão, sou seu devedor!

Às melhores assistentes que um pastor poderia encontrar, Marina e Iliete. A paciência, o carinho e a bondade de vocês comigo é incomparável. Obrigado por tudo!

Acima de tudo, ao meu Senhor e Salvador, Jesus Cristo, que, pela sua misericórdia, me permitiu ser um proclamador das boas-novas da salvação. Cada conquista e superação que tenho experimentado é fruto da sua graça. Tudo que sou e faço é para seu louvor e glória.

Prefácio

Todos desejam ter conquistas na vida, sejam elas profissionais, financeiras, relacionais, intelectuais, sociais ou ministeriais. Não há nada de errado nisso. Alguns cristãos se apegam ao discurso falsamente humilde de que não precisam crescer ou prosperar, como se a espiritualidade saudável tivesse a ver com um voto de pobreza ou mendicância franciscana do bolso, da mente e do coração. Por outro lado, causa indignação a postura mesquinha de quem se intitula cristão, mas não vive para seu verdadeiro melhor, deixando de lado o chamado de todo seguidor de Cristo de abençoar pessoas e de expandir o reino.

Acredito que Deus nos chamou para a grandeza, pois ele é um Deus grande. Rico em misericórdia, fiel em suas promessas, generoso em sua doação e perfeito em seu amor: assim é o seu Pai. O desejo divino para você é que viva plenamente e de forma que valha a pena, ao cumprir o destino para o qual foi chamado. Afinal, pior do que a morte é viver sem propósitos.

Superando limites nos inspira a abraçar essa realidade a partir de princípios bíblicos atemporais. A mentalidade do reino de Deus é capaz de nos conduzir para além de nossos limites. Pela fé, poderemos fazer o que nos cabe e experimentar aquilo que somente o Pai pode realizar. Este livro levará você a rever motivações, repensar posturas e aumentar sua fé em nosso bom e fiel Deus. Repleto de poderosas referências e aplicações bíblicas, esta obra o levará a compreender que Deus pode ajudá-lo a obter grandes conquistas e que, a despeito de seus limites, você pode chegar lá.

Não será uma jornada fácil. Lidar com seus limites significa que você será convidado a um processo de maturidade e crescimento. Por vezes, terá de fazer ajustes e encarar recomeços, sempre liderando a si mesmo em primeiro lugar. Sua fé será seu principal instrumento nesse processo de enraizamento, a fé que reinventa caminhos e que persiste, sempre crendo nas imutáveis promessas de Deus.

Você tem tudo de que precisa! Como Flavio afirma, com muita propriedade: "Deus lhe deu todo o potencial para ajudá-lo a vencer seus obstáculos. Todas as saídas de que você precisa já existem e o Espírito Santo é responsável por ativá-las em você". Flavio é um conquistador, um homem que superou limites na vida e no ministério e que ultrapassou barreiras. Ele tem o que ensinar, portanto prepare-se e aprenda com ele! Creio que esta leitura será um canal para que você receba ativações dos céus, a fim de dar importantes passos na terra. Supere seus limites e concretize conquistas, para a glória de Deus!

Boa leitura e boa superação dos seus limites!

Carlito Paes
Pastor líder da Igreja Batista da Cidade,
em São José dos Campos (SP), da Rede de Igrejas
da Cidade e da Rede Inspire de Igrejas,
autor e palestrante

Introdução

Hoje é dia de viajar. Ansiedade, expectativa e preocupação. Será que não me esqueci de nada? Todos os documentos estão em dia? Qual é a previsão da meteorologia: sol ou chuva? Quantas paradas terei de fazer ao longo do trajeto? Qual será o tempo de viagem? E, afinal, qual é o meu destino?

Todo cristão é chamado para uma longa jornada, em direção a grandes conquistas. Ele se dá conta disso quando ouve a voz de Jesus Cristo, dizendo: "Siga-me". Não será uma viagem fácil: teremos de superar os próprios limites e vencer hábitos que nos fizeram crer que seria impossível seguir em frente. Deus nos chama para superar barreiras, crer no impossível, vencer desafios e lutar por grandes conquistas, sempre com foco nele. Embora o Senhor esteja no centro de tudo o que fazemos na jornada, isso não diminui a importância de quem somos, porque nossa dignidade e honra estão em acompanhá-lo nessa fascinante viagem de salvação, redenção e restauração.

Procurei nesta obra oferecer lições preciosas extraídas da vivência de personagens bíblicos que nos ajudarão a encarar a vida com coragem, fé e perseverança, superando os limites. Tais histórias nos ensinarão importantes verdades sobre superação em meio a grandes obstáculos e longos sofrimentos.

Vivemos dias difíceis, nos quais a esperança tem sido massacrada pelo egoísmo, pela corrupção e pelo ceticismo. A Igreja não está imune a isso. Dentro de nossos templos há falta de fé e gente interesseira, impaciente e ímpia. Mas também encontramos pessoas que confiam sinceramente em Deus e que estão dispostas a amá-lo de todo o coração e nunca desistir dos sonhos que o Senhor semeou em seu coração. Por isso, este livro não é apenas sobre testemunhos do passado, mas é também a testificação da riqueza da Igreja de nossos dias.

Este livro funciona como um mapa, que nos fornece um roteiro rico e cheio de sabedoria, traçado pelo próprio Deus em seus encontros com pessoas comuns, como eu e você, mas que, em algum momento de sua história, foram desafiadas a superar as fronteiras que as limitavam, em contraste com o futuro glorioso que o soberano Deus planejou para elas.

Você está pronto para a viagem, superando limites para obter grandes conquistas? Então prepare-se, porque o melhor ainda está por vir!

Parte 1

Grandes conquistas

1

Como alcançar grandes conquistas

Depois que Moisés, servo do SENHOR, morreu, o SENHOR disse a Josué, filho de Num, auxiliar de Moisés: "Meu servo Moisés está morto; chegou a hora de você conduzir todo este povo, os israelitas, para atravessar o rio Jordão e entrar na terra que eu lhes dou. Eu darei a vocês todo o lugar em que pisarem, conforme prometi a Moisés, desde o deserto do Neguebe, ao sul, até os montes do Líbano, ao norte; desde o rio Eufrates, a leste, até o mar Mediterrâneo, a oeste, incluindo toda a terra dos hititas. Enquanto você viver, ninguém será capaz de lhe resistir, pois eu estarei com você, assim como estive com Moisés. Não o deixarei nem o abandonarei.

"Seja forte e corajoso, pois você conduzirá este povo para tomar posse da terra que jurei dar

> a seus antepassados. Seja somente forte e muito corajoso. Tenha o cuidado de cumprir toda a lei que meu servo Moisés lhe ordenou. Não se desvie dela nem para um lado nem para o outro. Assim você será bem-sucedido em tudo que fizer. Relembre continuamente os termos deste Livro da Lei. Medite nele dia e noite, para ter certeza de cumprir tudo que nele está escrito. Então você prosperará e terá sucesso em tudo que fizer. Esta é minha ordem: Seja forte e corajoso! Não tenha medo nem desanime, pois o SENHOR, seu Deus, estará com você por onde você andar".
>
> JOSUÉ 1.1-9

Deus nos leva a experimentar coisas grandes. Sua grandeza o faz agir assim, e, por sermos seus filhos, temos o privilégio de experimentar juntamente com ele a amplitude do seu favor e da sua ação poderosa sobre nossa vida. Um dos segredos para experimentar a grandeza do agir de Deus é compreender sua direção e agir segundo sua orientação. É o que aconteceu com Josué.

Nessa passagem bíblica, Deus chama Josué para conduzir os israelitas ao maior triunfo que eles haviam experimentado até então. Depois de centenas de anos vivendo como escravos no Egito e de quatro décadas vagando pelo deserto, agora era chegada a tão desejada e prometida fase da conquista da terra prometida, o que envolvia batalhas e dedicação militar da parte do povo.

Ao chamar Josué, o Senhor expõe a situação, lhe delega responsabilidades de liderança, confirma a antiga promessa e estabelece os limites da promessa. É bom saber disso: quem estabelece nossos limites é Deus, e não nós. Se queremos caminhar em direção à nossa maior conquista, devemos considerar algumas orientações de Deus para nós a partir deste texto bíblico. Afinal, é impossível você continuar fazendo as mesmas coisas e querer resultados diferentes.

Se você deseja obter grandes conquistas, deve, em primeiro lugar, buscar orientação do alto. No meio das nossas lutas, é Deus quem nos guia. É muito importante que você mantenha seu coração aberto à direção que vem do alto. É por isso que o salmista afirma no salmo 23: "O Senhor é meu pastor". A principal função de um pastor de ovelhas é guiá-las. Na sequência do salmo, Davi diz: "Ele me faz repousar em verdes pastos e me leva para junto de riachos tranquilos". A condução do bom pastor sempre nos levará ao melhor destino.

O salmista escreveu: "Pois assim é nosso Deus; ele é nosso Deus para todo o sempre e nos guiará até o dia de nossa morte" (Sl 48.14). Na jornada em direção às grandes conquistas é preciso estar convicto desta verdade absoluta: ele nos guia. Ele nos toma pela mão direita e nos conduz.

Quando Deus chama Josué, ele lhe dá a garantia de que o conduzirá, pois, "assim como eu fui com Moisés, eu serei contigo". Deus havia guiado Moisés desde o Egito até as margens do Jordão, mas, com a sua morte, é a vez de Josué ser conduzido até a terra prometida. Deus prometeu levá-lo. É assim que funciona: se quero alcançar grandes coisas, tenho de aprender a ouvir mais a voz de Deus. Pare de ouvir vozes que tentam frustrar seus sonhos, trazer desânimo, oprimi-lo.

Se quero alcançar grandes coisas, tenho de aprender a ouvir mais a voz de Deus.

Se você busca a direção meramente humana, ouvirá palavras com intenções mesquinhas, que almejam nos fazer parar no meio do caminho. Isso acontece com a voz do nosso "eu", dos nossos inimigos e até de nossos familiares. É certo que, em meio ao processo de conquista, muitas vozes nos ajudarão a alcançar o impossível. Conselhos e orientações de homens e mulheres sábios contribuem muito para a nossa jornada. No entanto, o mais importante é ouvir a voz de Deus. Salomão disse que "é da natureza humana fazer planos, mas a resposta certa vem do

Senhor" (Pv 16.1). Essa é a direção mais segura e a garantia das grandes conquistas.

Tenha disposição

Deus visitou Josué e anunciou que havia chegado a hora de ele assumir a tarefa de conduzir o seu povo. Saiba disto: todas as vezes em que Deus levantá-lo para realizar algo grandioso, ele lhe dará direção e provisão. Para ir adiante no plano de Deus, Josué teria de se dispor a realizar o que Deus o chamava a fazer. Disposição, no sentido de levantar-se ativamente, para um tempo de superação de limites e conquistas, é vital para obter essas grandes conquistas; afinal, elas não caem do céu, de mão beijada. O termo no original em hebraico que aqui foi traduzido no contexto por "chegou a hora de você conduzir todo este povo" ou, em outras traduções, "dispõe-te" (RA), "preparem-se" (NVI) ou "levanta-te" (RC), é *qûm*, que tem o sentido de realizar algo, de sair da inércia e se pôr em ação.

Deus fala com Josué como se dissesse: "Eu sou com você, mas você terá de ter disposição, de se mexer". Disponha-se a amar mais; a ser um marido, uma esposa ou um filho melhor; a ser um funcionário mais dedicado; a ser um chefe mais competente; a ser um empresário exemplar. Tudo isso depende da sua vontade ativa. Se você não estiver disposto a algo, a coisa será complicada. Certa vez ouvi do querido reverendo Jeremias Pereira: "Se você não estiver disposto a ser feliz, nem Deus pode ajudá-lo". Quando o cego Bartimeu soube que Jesus passaria pelo local onde ele estava, começou a gritar e a suplicar por cura: "Jesus, Filho de Davi, tenha misericórdia de mim!" (Mc 10.47). Jesus ouviu os gritos e, só então, mandou chamá-lo. Os discípulos o encontraram e trataram de animá-lo com a boa notícia de que o Mestre o ouvira. A narrativa de Marcos faz questão de ressaltar a atitude do mendigo cego: "Bartimeu jogou sua capa para o lado, levantou-se de um salto e foi até Jesus" (Mc 10.50).

As grandes conquistas estão esperando por você, mas você precisa se dispor a agir. Você deixou de receber muitas bênçãos até agora porque não fez o que devia para que elas acontecessem. Deus quer nos conduzir, mas nós precisamos estar dispostos. Tenha mais disposição para ler a Bíblia. Pare de arrumar desculpas, não é falta de tempo. A verdade é que temos tempo para o que julgamos ser mais importante, mas deixamos sempre a comunhão com Deus em segundo plano.

No processo de conquista da terra prometida, sempre haverá a necessidade de estarmos dispostos a fazer algo para cooperar com Deus no processo.

Disponha-se. Firme seu coração no compromisso com Deus.

Tenha esperança

É necessário ter esperança para obter grandes conquistas. Quem tem o coração cheio de esperança vive na constante expectativa de alcançar o extraordinário. Deus disse a Josué: "chegou a hora de você conduzir todo este povo, os israelitas, para atravessar o rio Jordão e entrar na terra que eu lhes dou" (v. 2). Quando Deus nos dá uma direção e encontra em nós disposição, ele projeta um futuro em nosso coração, o que alimenta nossas esperanças.

Esperança é a certeza de que algo bom da parte de Deus vai nos alcançar. Não se deixe abater pelas manchetes trágicas dos jornais e dos *websites*. Nós não seguimos as previsões dos homens, mas, sim, a direção de Deus. Não é o que o mercado diz, não é a crise econômica, o desemprego. O que deve gerar esperança em nosso coração é a promessa de Deus revelada em sua Palavra.

Josué já havia cruzado o Jordão? Não. Mas Deus já havia dito a ele: "eu lhes dou". Ou seja, "tenha esperança, vocês chegarão lá". Trata-se de acreditar nos atos de Deus no futuro. É ter fé, alicerçado, sempre, na Palavra de Deus. O apóstolo Pedro disse: "Deus, com seu poder divino, nos concede tudo de que necessitamos para uma vida de devoção, pelo conhecimento completo daquele que nos chamou para si por meio de sua glória e excelência" (2Pe 1.3).

Quando Deus promete, ele cuida para que tudo se cumpra. Na sua misericórdia, o Senhor compreende que a fraqueza humana se manifesta na forma de medo, dúvidas e tendência a se deixar dominar pela incredulidade. Em meio a cenários desafiadores, decida caminhar na direção da promessa que Deus lhe fez.

Creia e alimente a esperança em seu coração de que Deus o surpreenderá como nunca antes, para a glória do seu divino nome.

Tenha um propósito

Sabe qual é o problema na vida de muitas pessoas? Elas não chegam aonde querem porque não têm um propósito. Muitas terminam o ano como começaram: no mesmo lugar. Olham para trás e veem que nada fizeram nos doze meses anteriores. Eu aprendi uma lição ainda na minha infância: o tempo passa, quer você faça bom uso dele quer não. Tenha propósitos para sua vida. Faça planos.

Quando não se sabe onde se quer chegar, qualquer lugar serve. Essa é a razão pela qual muitas pessoas continuam vagando pelo deserto e não conseguem chegar à terra prometida. Um dos textos mais cruciais na jornada em direção à terra prometida é: "Vocês andaram por esta região montanhosa tempo suficiente; agora, sigam para o norte" (Dt 2.3). Você consegue compreender a orientação que Deus dá ao povo? Era hora de ele definir um destino. O povo havia ficado por anos rodeando a mesma montanha, o mesmo local, sem chegar a lugar nenhum.

Deus não disse para Josué: "Cruza o Jordão e vai para onde você quiser", mas lhe deu uma direção: Canaã. Deus estabelece, com detalhes, o lugar aonde ele deveria chegar: "desde o deserto do Neguebe, ao sul, até os montes do Líbano, ao norte; desde o rio Eufrates, a leste, até o mar Mediterrâneo, a oeste, incluindo toda a terra dos hititas" (v. 4). Este tornou-se o propósito de Josué: levar o seu povo até o local que Deus havia prometido. E você? Quais são os seus alvos? Qual é o seu propósito para a vida pessoal, ministerial e profissional?

Deus tem propósitos para nós. Busque-os, estabeleça, faça metas. Ninguém chega a algum lugar por acaso, mas, sim, porque tem o propósito de chegar lá. Precisamos saber aonde queremos chegar e, se estivermos de acordo com a vontade de Deus, ele, em sua bondade, nos conduzirá até lá, para a glória de seu santo nome.

Tenha fé

A fé é um combustível indispensável para que você continue acreditando, mesmo quando não consegue enxergar nada. O autor de Hebreus afirma que a fé é a convicção de coisas que não vemos (Hb 11.1). Eu não vejo, mas sei que vai acontecer, e isso nos leva a viver. O justo vive pela fé (Hb 10.38), isto é, ele não vive em função das aparências, das circunstâncias ou das possíveis portas que se abrirão diante dele. O justo sabe que, mesmo quando a visibilidade é ruim, o Senhor está no controle de tudo. A fé limpa o céu das nuvens escuras e o inatingível perde o seu poder.

O justo sabe que, mesmo quando a visibilidade é ruim, o Senhor está no controle de tudo. A fé limpa o céu das nuvens escuras e o inatingível perde o seu poder.

Uma das ilustrações mais interessantes sobre viver pela fé é a história de um menino, com não mais que 12 anos, que estava a bordo de um avião. Durante a viagem, uma turbulência descomunal atinge a aeronave. Todos ficaram assustados, tensos e apreensivos. O senhor que estava assentado ao lado do menino notou que ele continuava tranquilo, assistindo a um desenho. Incomodado com a atitude serena do pequeno menino, o senhor perguntou: "Você não está com medo?". O menino calmamente respondeu: "Não, meu pai é o piloto".

Josué ainda não conhecia a região que Deus lhe mostrou: do rio Eufrates à terra dos hititas. Não havia um mapa, nem GPS, nem Google Earth. Josué não averiguou a qualidade da região pelo Google no momento em que Deus falava. Não, ele não conhecia a terra, mas, pela fé, caminhou em direção a ela. As turbulências fazem parte da viagem, mas a certeza de que Deus está no controle nos faz prosseguir seguros.

Você tem de caminhar em direção ao futuro pela fé. Você não sabe o que vai acontecer, mas a fé o levará a acreditar que o melhor de Deus o alcançará. A galeria de heróis que nos é apresentada em Hebreus 11 é composta por homens e mulheres que realizaram coisas extraordinárias, no poder da fé: "Pela fé, eles conquistaram reinos, governaram com justiça e receberam promessas. Fecharam a boca de leões, apagaram chamas de fogo e escaparam de morrer pela espada. Sua fraqueza foi transformada em força. Tornaram-se poderosos na batalha e fizeram fugir exércitos inteiros" (Hb 11.33-34). Tudo isso pelo poder da fé.

Não estamos à mercê da sorte; somos alvos das promessas de Deus. Creia que você conquistará grandes coisas para a glória e o louvor do nome do nosso Deus. Trataremos com mais detalhes sobre a importância da fé mais adiante neste livro.

Tenha coragem

Depois que Deus falou com Josué, o desafiou a ficar disposto, injetou o combustível da esperança, estabeleceu uma promessa e um propósito a ser alcançado e enxertou no seu coração uma perspectiva da fé, então o Senhor terminou a conversa dizendo: "Seja forte e corajoso" (v. 6). É preciso ter coragem para enfrentar os desafios que certamente virão. A vida é feita de desafios. Alcançar grandes conquistas e superar limites exigirá muita coragem e força. Estar acima da média exige determinação, um desejo intenso e ardente de viver acima das possibilidades.

Seria imaturo e irresponsável da minha parte usar jargões como "vai dar tudo certo" ou "seu ano será uma bênção", sem avisar que você terá lutas e dificuldades. Eu, como pastor, ouço todos os dias histórias de lutas, algumas delas desesperadoras, como casos em que o filhinho está gravemente doente e os pais nunca sabem se hoje é o último dia de vida dele. As lutas vêm, mas eu preciso ter coragem para enfrentá-las.

Coragem não é ausência de medo. Coragem é o enfrentamento do medo, na esperança de que Deus o abençoará. Tenha coragem para encarar os desafios que virão. Só os corajosos vencem as lutas; os medrosos fogem. Quem faz grandes coisas são os corajosos.

Deus sabia que haveria grandes dificuldades. Josué teria que enfrentar a oposição de Jericó, a derrota em Ai, e os combates contra os jebuseus, os amorreus, os heteus e tantos outros povos. Mas, parafraseando, Deus disse a Josué: "Mesmo quando a luta se tornar intensa, não fuja. Enfrente-a, com coragem, porque eu lhe darei a vitória".

Seja corajoso. Quando a crise chegar à sua família, não fuja dela, não abandone sua esposa, não abandone seu marido. Quando a luta pela formação do caráter do seu filho se tornar mais difícil, não o expulse de casa, não desista dele, tenha coragem para enfrentar a situação. Quando o problema chegar ao trabalho ou qualquer que seja a dimensão, não seja medroso e covarde. Enfrente o problema. Os covardes fogem e desistem; os corajosos permanecem e lutam. Lute pela sua casa, lute pelos seus filhos, lute pela sua família, lute pelos seus sonhos. Lute por tudo aquilo que está de acordo com a vontade soberana de Deus, revelada em sua Palavra. Dessa forma, certamente você terá grandes conquistas, para a glória e o louvor do nome do Senhor.

2

Preparação para grandes conquistas

No dia seguinte, logo cedo, Josué e todos os israelitas partiram de Sitim e chegaram às margens do Jordão, onde acamparam antes de atravessar o rio. Três dias depois, os oficiais percorreram o acampamento e deram a seguinte ordem ao povo: "Quando virem a arca da aliança do SENHOR, seu Deus, sendo carregada pelos sacerdotes levitas, saiam de suas posições e sigam a arca. Tenham o cuidado de ficar cerca de um quilômetro atrás dela. Não se aproximem demais! Assim vocês saberão por onde ir, pois nunca passaram por este caminho".

Então Josué disse ao povo: "Purifiquem-se, pois amanhã o SENHOR fará grandes maravilhas entre vocês!".

Pela manhã, Josué disse aos sacerdotes: "Levantem a arca da aliança e conduzam o povo para o outro lado do rio". Eles levantaram a arca da aliança e foram à frente do povo.

O SENHOR disse a Josué: "Hoje começarei a fazer de você um grande líder aos olhos de todo o Israel. Eles saberão que estou com você, assim como estive com Moisés. Dê a seguinte ordem aos sacerdotes que carregam a arca da aliança: 'Quando chegarem junto às margens do Jordão, parem exatamente ali'".

Então Josué disse aos israelitas: "Aproximem-se e ouçam o que diz o SENHOR, seu Deus. Hoje vocês saberão que o Deus vivo está entre vocês. Ele certamente expulsará os cananeus, os hititas, os heveus, os ferezeus, os girgaseus, os amorreus e os jebuseus de diante de vocês. Vejam, a arca da aliança, que pertence ao Soberano de toda a terra, os conduzirá para o outro lado do Jordão! Escolham agora doze homens das tribos de Israel, um de cada tribo. Os sacerdotes levarão a arca do SENHOR, o Soberano de toda a terra. Assim que seus pés tocarem as águas do Jordão, a correnteza será interrompida rio acima, e as águas se levantarão como um muro".

JOSUÉ 3.1-13

Grandes desafios frequentemente precedem grandes conquistas. A cada novo ciclo de vida, nos perguntamos: como será daqui para a frente?

Conseguiremos vencer os obstáculos ou vamos sucumbir aos ventos que sopram contra nós? Nossa única segurança é saber que Deus não somente nos acompanha, como também vai à frente e nos guia até o fim, assim como foi com Josué e o povo de Israel em sua entrada na terra prometida.

Ao longo da caminhada, é de fundamental importância nos apropriarmos da Palavra de Deus como fonte de aprendizado para as grandes conquistas. Vale esclarecer que, quando me refiro a tais triunfos, não estou apontando apenas para os aspectos materiais e financeiros. A ajuda de Deus vai além: ele quer nos conceder riquezas espirituais e emocionais, benefícios que, esses sim, tornam um lar rico.

É importante ressaltar que um lar rico não é o que tem a decoração mais fina, com os móveis mais caros, localizado no bairro mais nobre da cidade. O seu valor está onde a paz de Cristo se faz presente, onde a glória do Senhor é real sobre a vida de um casal, onde os filhos crescem na harmonia de uma família saudável. E tudo isso é possível quando buscamos orientação na Palavra. Já frequentei mansões com muitos recursos materiais, mas a paz e a serenidade de um lar estavam ausentes. Já frequentei casas simples, onde a escassez e a necessidade material eram visíveis, mas a paz e a harmonia de um lar feliz podiam ser percebidas no ar e estampadas no rosto de todos da família.

Para tanto, voltemos nossa atenção para a narrativa de Josué sobre o decisivo momento que antecede a posse da terra prometida por Deus. Moisés havia morrido e Josué assumira a responsabilidade de conduzir o povo até a grande conquista de Canaã. Mas não seria fácil. Deus os alertou de que haveria muitos inimigos. Ele lista os nomes dos povos que Josué encontraria por lá: os cananeus, os hititas, os heveus, os ferezeus, os girgaseus, os amorreus e os jebuseus (v. 10). Cada um desses povos tinha uma característica distinta e proporcionava um desafio diferente a ser enfrentado.

Esse alerta serve para nós: enfrentaremos oposições em nossa caminhada e teremos de combater tanto inimigos externos quanto internos. O desânimo é um deles, pois, quando ele nos assalta, nos cansamos facilmente e começamos a achar que não vale a pena continuar a jornada. Mas a obra do Senhor é perfeita e certamente ele guiará aqueles que lhe pertencem até o cumprimento de seu divino propósito. Encha o seu coração de ânimo e

Mas a obra do Senhor é perfeita e certamente ele guiará aqueles que lhe pertencem até o cumprimento de seu divino propósito. Encha o seu coração de ânimo e esperança!

esperança! Deus cuidará de você em todas as áreas da sua vida: no trabalho, na família, na saúde... Para cada desafio e inimigo a ser enfrentado, ele está sempre à frente.

Deus orientou Josué exatamente num momento crucial e simbólico da jornada: depois de quase quarenta anos de caminhada, o povo estava prestes a atravessar o rio Jordão — literalmente, um divisor de águas entre a antiga terra da escravidão e a nova terra de que deveriam tomar posse, onde jorrava "leite e mel" (Êx 33.3). Aquele era o limite, a fronteira. No Jordão, o que antes era uma promessa começou a se tornar realidade. E foi naquele momento e lugar que Deus decidiu dar orientações claras a Josué.

Deus também nos orienta em nossa jornada. No processo de conquista, precisamos estar atentos às direções que ele nos dá por meio da sua Palavra. Toda jornada bem-sucedida é precedida de orientação. O texto de Gênesis relata que Deus chama Abrão e lhe diz para ir a uma terra que ele lhe mostraria. Perceba que, naquele momento, não havia endereço específico, nenhum detalhe sobre a jornada, apenas uma afimação: que Deus lhe mostraria. Isso nos ensina que, durante a jornada, precisamos manter nossos olhos e ouvidos abertos e atentos aos sinais que Deus nos mostrará. Deus sempre nos instrui, principalmente nas etapas mais significativas da vida. Se ele já falou ontem, também falará hoje e amanhã. Em cada fase, Deus falará com você. Ele se manifestou em grandes conquistas na formação do seu povo e na edificação de sua Igreja. Por que não faria o mesmo em sua vida?

Que diretrizes Deus deu a Josué e aos israelitas antes de começar a travessia do Jordão? Foram instruções simples, mas poderosas, que, creio, se trouxermos para nossa vida hoje, nos ajudarão a experimentar grandes conquistas!

Purifique-se

A primeira orientação de Deus foi muito clara. Ele deixou evidente a Josué que é impossível você conquistar algo maior da parte do Senhor enquanto não houver santificação em sua vida, isto é, purificação. Muitos querem os benefícios de uma experiência diferente com Deus, porém não abandonam o pecado.

Ecoando a voz de Deus, Josué dá um imperativo solene ao povo: "Purifiquem-se, pois amanhã o SENHOR fará grandes maravilhas entre vocês!" (v. 5). Muitos priorizam o milagre, e não a transformação de vida, mas o correto é exatamente o contrário: eu decido andar com Deus e, como uma das consequências de minha decisão, os milagres poderão vir. É por isso que Jesus disse aos seus discípulos:

"Os seguintes sinais acompanharão aqueles que crerem... " (Mc 16.17). Quando eu creio, os sinais me acompanham.

A palavra "santificar-se" significa "separar-se para algo". Quando eu busco a santificação, decido separar-me para Deus; eu sou dele, completamente dele. Talvez, em algumas áreas específicas, sua vida esteja muito distante da vontade de Deus, e você comece a acreditar que, na verdade, ele não tem planos para você. A questão é que Deus é santo; portanto, requer dos seus uma vida santa. Todo processo em direção ao sobrenatural de Deus passa pela necessidade de purificação. Moisés é advertido por Deus, ao aproximar-se do arbusto que queimava e não se consumia: "Tire as sandálias, pois você está pisando em terra santa" (Êx 3.5). Não podemos iniciar um relacionamento de grandes conquistas sem antes nos separarmos para Deus. O chamado dele nas Escrituras é este: "Sejam santos, porque eu sou santo" (Lv 11.44-45; 19.2; 20.7; 1Pe 1.16).

A primeira coisa que Deus diz a Josué é: ordene ao povo que se santifique. Se você quer resultados diferentes e grandes conquistas para sua vida, antes de tudo separe-se para Deus. Seja alguém dedicado ao Senhor, completamente mergulhado em sua obra, vivendo integralmente para ele. Pare de apresentar-se a Deus em pedaços. Não ofereça a ele apenas alguns dias da semana ou algumas horas do domingo. Uma semana tem 168 horas e nos dedicamos, quando muito, a duas horas, nas programações semanais em nossa igreja local. Quando o culto demora mais que o planejado, já começamos a reclamar. Dedicamos tão pouco a Deus e, mesmo assim, queremos tudo dele. Quando o Senhor instruiu Josué a exortar o seu povo a que não adiasse a responsabilidade da purificação, ele estava dando prioridade à santificação. O tempo é hoje!

O primeiro passo para uma grande conquista na vida de toda e qualquer pessoa é a purificação, a santidade, o abandono do pecado e das velhas práticas. É preciso dizer radicalmente "não" ao mundo e decidir viver única e exclusivamente para Deus.

Portanto, o primeiro passo para uma grande conquista na vida de toda e qualquer pessoa é a purificação, a santidade, o abandono do pecado e das velhas práticas. É preciso dizer radicalmente "não" ao mundo e decidir viver única e exclusivamente para Deus. Separe seu coração para ele. Deus não agirá em meio à impureza, como se ela não existisse. Muitos têm perdido oportunidades de conquistar grandes coisas e, por essa razão, não cruzam o seu Jordão, justamente por não terem encarado seriamente seus pecados.

Séculos depois de Josué, nos tempos do profeta Isaías, o povo levado cativo pelos pagãos reclamava sem parar: "Deus se esqueceu de nós, ele nos abandonou no cativeiro. Deus não nos leva mais a viver coisas grandes!". E o Senhor então respondeu a eles por meio do profeta: "Ouçam! O braço do SENHOR não é fraco demais para salvá-los, nem seu ouvido é surdo para ouvi-los. Foram suas maldades que os separaram de Deus; por causa de seus pecados, ele se afastou e já não os ouvirá" (Is 59.1-2).

Essas palavras do Senhor são seriíssimas! Se eu me dou conta de que, de fato, meu pecado me impede de ter um relacionamento com Deus, hoje é o dia de confessá-lo e de abandoná-lo definitivamente. Lembre-se das palavras do profeta Jeremias: "Então por que nós, humanos, nos queixamos quando somos castigados por nossos pecados?" (Lm 3.39). É por isso que Deus orienta Josué desta forma: "Diga ao povo que busque a santificação, já!". Mais à frente acontecerá um episódio importante, que evidencia essas palavras de Deus, quando o povo tenta conquistar a cidade de Ai, depois de já ter subjugado Jericó. Na ocasião, Deus os orienta a não tomar posse de nenhum despojo, mas um homem chamado Acã pega para si uma capa babilônica e alguns siclos de prata e os esconde debaixo de sua tenda. Até aquele momento, Deus vinha dando vitória ao povo, porque os israelitas haviam se santificado, com obediência integral a Deus. O pecado de Acã, porém, fez os israelitas serem vergonhosamente derrotados. Sempre que o pecado entra como prática em nossa vida, nos afastamos de Deus e deixamos de ter sua mão forte nos guiando a grandes conquistas, porque ele é um Deus santo. Muitas conquistas têm sido frustradas pela falta do zelo da santidade.

Decida viver para Deus. Purifique-se e entregue completamente a ele a sua vida e o seu futuro. Não adianta ser espiritual só no ambiente religioso. Ser cristão dentro da igreja, levantar as mãos e dar glória ao Senhor é fácil. Mas Deus espera que vivamos nossa espiritualidade com mais intensidade exatamente quando o culto acaba e retomamos nossa jornada em casa, nos relacionamentos em família, no ambiente de trabalho e na sociedade.

O fato é que, na prática, nossa espiritualidade é provada e desenvolvida mais fora do que dentro da igreja. Não existe um "dia ideal para ser crente"; devemos ser cristãos de verdade o tempo todo. É por isso que Deus disse aos israelitas para se santificarem imediatamente. O mesmo vale para mim e para você: não escolha o dia para ser puro — seja já.

Siga Deus

A segunda lição que aprendemos com essa passagem da Bíblia é que não devemos tentar seguir nada nem ninguém que não seja Deus. Não siga o seu coração, a mídia ou ideologias. Perceba onde Deus está e ponha-se a caminhar no mesmo compasso que ele e na mesma direção. "Sigam a arca!", o versículo 3 nos ensina. A arca da aliança representava a presença do próprio Deus. Portanto, o que o Senhor estava dizendo ao povo — e a Josué, especificamente — é que uma jornada para uma grande conquista somente é possível quando se segue a direção de Deus. Se ele me instruir a caminhar, caminharei; o que me ordenar a fazer, farei; o que quiser que eu diga, direi; se é para eu me calar, ficarei em silêncio. Daí a firme resolução de Moisés diante de Deus, pouco antes de receber a Lei do Senhor: "Se não nos acompanhares pessoalmente, não nos faças sair deste lugar" (Êx 33.15).

Nós precisamos vencer a nossa inclinação natural de achar que sabemos o que é o melhor para a nossa vida. Muitas situações difíceis que vivemos hoje (no casamento, no trabalho, na igreja e em outras instâncias) ocorreram porque achamos que sabíamos quais eram as escolhas certas e nos enganamos. Caminhe na direção de Deus. Hoje não precisamos seguir uma arca, mas, sim, a voz do Espírito

Santo falando ao nosso coração por meio de sua Palavra. O princípio eterno nesse caso é o da obediência: se a arca se movia, o povo se movia; e em nossos dias, se o Espírito Santo de Deus fala comigo, eu o ouço e lhe obedeço.

Como pastor, recebo muita gente em busca de orientação sobre o que fazer e que decisões tomar. Nessas horas, precisamos ouvir a voz do Espírito Santo, pois ele fala conosco por meio das Escrituras. Muitos o tratam como se fosse uma força ou o poder de um super-herói da TV agindo no meio da Igreja. Mas o Espírito Santo não é um arrepio que sinto e que me dá poder para pronunciar "mantras *gospel*". Não! Ele é uma pessoa. E, se é uma pessoa, ele se relaciona e fala — e fala conosco.

O princípio eterno nesse caso é o da obediência: se a arca se movia, o povo se movia; e em nossos dias, se o Espírito Santo de Deus fala comigo, eu o ouço e lhe obedeço.

Como Jesus disse aos seus discípulos, o Espírito Santo nos guia em direção à verdade (Jo 16.13). Sabemos muito bem que a nossa consciência muitas vezes não caminha na direção de Deus, pois somos humanos, corruptos, de natureza carnal e caída. Por essa razão, devemos nos ater às orientações divinas, pois no Senhor não há engano. É por isso que você, que crê em Jesus, deve orar todos os dias, pedindo ao Espírito Santo que lhe dê direção. O Espírito Santo não apenas gera experiências emocionais durante o culto, ao contrário do que muitos pensam. Ele está disposto a ajudá-lo em sua caminhada.

Se no momento da travessia do Jordão pelo povo de Israel a presença de Deus era simbolizada pela arca, hoje quem age no meio da Igreja é o Espírito Santo. A voz de Deus é a voz do Espírito. É por isso que nas cartas às sete igrejas localizadas na Ásia, em Apocalipse, as advertências de Deus às comunidades cristãs sempre terminam com a seguinte frase: "Quem tem ouvidos para ouvir, ouça o que o Espírito diz às igrejas" (Ap 2.7,11,17,29; 3.6,13,22). Deus constituiu o ser humano com sensibilidade para ouvi-lo. O pecado criou barreiras para isso, mas as comunidades redimidas são uma prova de que Jesus restaurou esse diálogo com Deus. Nossas igrejas devem entender que precisam ouvir o Espírito Santo por meio das Escrituras. Para conhecer sua divina vontade, não há outro método, a não ser pela Palavra de Deus, a Bíblia. É nela que Deus nos revela seu querer, e é por meio dela que podemos andar segundo seus desejos.

Pare de ser guiado pela inclinação do seu próprio coração. Ore ao Espírito Santo. Seja prático:

quando seu dia começar – e eu faço isso desde que me entendo por gente –, ore assim: "Espírito Santo, dirige meus passos. Toma a direção da minha vida. Que eu não faça nada que contrarie a tua vontade, para a glória de Jesus". E Deus, na pessoa do seu Espírito, ouvirá sua oração. As grandes conquistas da sua vida se tornarão mais fáceis se o Espírito Santo o conduzir durante a caminhada. Clame ao Espírito e ele falará.

Ouça a instrução de Deus

O Senhor é um Deus de ordem e decência, e não de bagunça. Ele poderia ter criado o Universo em um único dia; no entanto, dividiu o seu trabalho em etapas. Com isso, mostrou que tudo tem o tempo certo. É por isso que Salomão ensina: "Há um momento certo para tudo, um tempo para cada atividade debaixo do céu" (Ec 3.1).

Padrões e regras fazem parte da vida e ajudam no funcionamento de tudo. Ainda assim, há gente que quer atropelar as horas, como o garoto que acaba de conhecer uma moça e já quer pedi-la em casamento. Calma! Há tempo para tudo: para se conhecerem, para ficarem noivos e para se casarem. Por outro lado, comete o mesmo erro quem gosta de protelar o relacionamento e não toma decisões mais sérias na hora em que deveria. Alguns se tornam apressados para ouvir a voz de Deus e caem na precipitação; outros estão com os ouvidos adormecidos e perdem a chance de escutar a Palavra do Senhor.

Um bom exemplo que ilustra essa verdade é a liturgia de nossos cultos. Mais do que parecer esteticamente agradável, elaboramos a ordem do culto porque nos dá um senso de organização, o que ajuda as equipes a funcionar, com cada integrante fazendo o melhor para Deus com seus dons e de forma ordenada. Você já imaginou que bagunça seria o culto sem um mínimo de organização? O mesmo poderíamos dizer sobre você: não espere conquistar tudo da noite para o dia; organize-se. É como diz aquele velho ditado: "Quem nunca comeu melado se lambuza quando come". Não se precipite à espera da bênção, porque, se ela chegar antes da hora, provavelmente você se lambuzará completamente. O caminho da conquista é gradual.

Eu sei que Deus tem bênçãos especiais para a vida de cada um. Eu mesmo, pela graça de Deus, já alcancei, e ainda alcanço, muitas conquistas, mas sempre foi num passo de cada vez. Sei que ainda há muitos triunfos pela frente, mas tenho plena consciência de que eles não vão acontecer em um passe de mágica. No processo de conquista, há um momento para cada etapa.

Muitos olham para nossa vida como se tivessem entrado em uma sala de cinema nos minutos finais de um filme de ação. Encontram o mocinho vencendo o vilão e conquistando a donzela, mas não acompanharam o sufoco que ele passou durante a maior parte da história. Toda história de superação e conquistas se dá em etapas, capítulos, cenas, por isso é importante caminhar um passo de cada vez.

Sei que ainda há muitos triunfos pela frente, mas tenho plena consciência de que eles não vão acontecer em um passe de mágica. No processo de conquista, há um momento para cada etapa.

Deus falou por meio de Josué que o povo deveria se aproximar, parar junto à margem do rio, ouvir a voz de Deus, e só depois de a arca ser levada ele seguiria também. Os israelitas poderiam ter pensado: "Depois de anos caminhando pelo deserto, acabamos de chegar ao Jordão. Se já temos a promessa de Deus, o que falta para atravessarmos o rio e invadirmos essas terras? Vamos logo!". Muitas pessoas agem exatamente dessa forma.

Foi também dessa maneira, com instruções a respeito de cada etapa do processo de conquista, que Deus agiu em Jericó, como veremos em detalhes no próximo capítulo. O Senhor ordenou que os israelitas rodeassem a cidade murada durante sete dias, uma volta de cada vez. Ele não poderia fazer as muralhas caírem de uma hora para outra? Claro que sim. Mas ele queria ensinar ao povo que não deveria ser afobado, mas caminhar um passo por vez. A promessa era real e se cumpriria, mas aquelas pessoas tinham de aprender a seguir as instruções divinas.

Uma das características da geração de nossos dias é buscar resultados imediatos para questões complexas. Ela olha para as gerações anteriores, ignora seu esforço e sacrifício e quer alcançar os mesmos triunfos da noite para o dia. Isso é impossível! Credibilidade, respeito e autoridade são frutos de uma conquista alcançada com o tempo.

Levamos para nossa jornada espiritual a ideia de que podemos burlar as regras, mas com Deus não funciona desse jeito. Queremos aplicar a "lei de Gérson" ao Senhor: "Sabe como é, se tu me abençoares, se deres um jeitinho...". Queremos usurpar a bênção. É gente com o espírito de Jacó, que quer enganar o próprio pai para se tornar alvo do favor de Deus. Mas com Deus há regras no processo. Ouça a instrução dele. Quando ele mandar você parar, pare. Quando mandar caminhar, caminhe. Você perceberá que, entre a promessa e o cumprimento dela, há um processo. É assim que Deus geralmente age na vida de seus filhos.

Testemunhe sobre o que Deus fez por você

Durante o processo da conquista, você não deve se cansar de testemunhar o que Deus já fez por você. Muita gente é abençoada, mas se cala. É rápida para pedir e lenta para testemunhar. A orientação ao povo é: para cada bênção que Deus lhe der, estabeleça um memorial do que ele fez. Após atravessar o Jordão, foi isso que os israelitas fizeram:

> Quando todo o povo havia atravessado o Jordão, o SENHOR disse a Josué: "Escolha doze homens, um de cada tribo, e dê a eles as seguintes ordens: 'Peguem doze pedras do local onde os sacerdotes estão parados no meio do rio. Levem as pedras com vocês e amontoem-nas no lugar onde vão acampar esta noite'".
>
> Então Josué convocou os doze homens que havia escolhido, um de cada tribo de Israel, e lhes disse: "Vão até o meio do Jordão, à frente da arca do SENHOR, seu Deus. Cada um de vocês pegue uma pedra e carregue-a sobre o ombro; serão doze pedras no total, uma para cada tribo de Israel. Elas serão um monumento entre vocês. No futuro, seus filhos perguntarão: 'O que significam estas pedras?', e vocês dirão: 'Elas servem para nos lembrar que o rio Jordão parou de correr quando a arca da aliança do SENHOR passou por

ele'. Essas pedras serão uma recordação no meio dos israelitas para sempre".

Assim, os israelitas fizeram como Josué havia ordenado.

JOSUÉ 4.1-8

Lembro-me de uma visita que fiz há cerca de vinte anos. Eu já era pastor e fui à casa de uma família. Muito me chamou a atenção o fato de que na sala daquela residência havia um mural de fotos que ilustravam momentos específicos da vida da família: o casamento, o nascimento de um filho, uma formatura. E, embaixo de cada foto, havia um versículo. Fiquei tão curioso que resolvi perguntar:

– Do que se trata esse mural?

O pai da família respondeu:

– É o mural de testemunho da nossa casa.

– Gostei. Como funciona isso?

– Em cada momento que experimentamos o cuidado de Deus sobre a nossa casa, colocamos uma foto e um versículo embaixo, para que nunca nos esqueçamos do que Deus já fez por nós.

Ah, se todos fizéssemos isso! Esquecemo-nos muito rapidamente do que Deus faz por nós. Aliás, o próprio salmista Asafe criticou a indiferença do seu povo ao relembrar os grandes feitos do Senhor: "Não se recordaram do seu poder, nem do dia em que ele os resgatou de seus inimigos. Não se lembraram dos sinais que ele fizera no Egito, das maravilhas realizadas na planície de Zoã" (Sl 78.42-43).

Precisamos levantar memoriais em nossa vida, para que nossos filhos vejam e conheçam o nosso Deus. Portanto, faça como os israelitas: levante memoriais de gratidão ao Senhor. Todas as vezes em que você conquistar algo, seja grato a Deus e expresse isso de diversas maneiras. O que Deus está nos ensinando nesse processo de conquista é que devemos manter um coração grato, como testemunho daquilo que ele tem feito. "Que posso oferecer ao SENHOR por tudo que ele me tem feito? Celebrarei meu livramento e louvarei o nome do SENHOR" (Sl 116.12-13).

3

Não duvide de conquistas que parecem impossíveis

O SENHOR apareceu novamente a Abraão junto ao bosque de carvalhos que pertencia a Manre. Abraão estava sentado à entrada de sua tenda na hora mais quente do dia. Olhando para fora, viu três homens em pé, próximos à tenda. Quando os viu, correu até onde estavam e lhes deu as boas-vindas, curvando-se até o chão.

Abraão disse: "Meu senhor, se assim desejar, pare aqui um pouco. Descanse à sombra desta árvore enquanto mando trazer água para lavarem os pés. E, uma vez que honraram seu servo com esta visita, prepararei uma refeição para restaurar suas forças antes de seguirem viagem".

"Está bem", responderam eles. "Faça como você disse."

Abraão voltou correndo para a tenda e disse a Sara: "Rápido! Pegue três medidas da melhor farinha, amasse-a e faça alguns pães". Em seguida, Abraão correu ao rebanho, escolheu um novilho tenro e o entregou a seu servo, que o preparou rapidamente. Quando a comida estava pronta, Abraão pegou coalhada, leite e a carne assada e os serviu aos visitantes. Enquanto comiam, Abraão permaneceu à disposição deles, à sombra das árvores.

"Onde está Sara, sua mulher?", perguntaram os visitantes.

"Está dentro da tenda", respondeu Abraão.

Então um deles disse: "Voltarei a visitar você por esta época, no ano que vem, e sua mulher, Sara, terá um filho".

Sara estava ouvindo a conversa de dentro da tenda. Abraão e Sara já eram bem velhos, e Sara tinha passado, havia muito tempo, da idade de ter filhos. Por isso, riu consigo e disse: "Como poderia uma mulher da minha idade ter esse prazer, ainda mais quando meu senhor, meu marido, também é idoso?".

Então o SENHOR disse a Abraão: "Por que Sara riu? Por que disse: 'Pode uma mulher da minha idade ter um filho'? Existe alguma coisa difícil demais para o SENHOR? Voltarei por esta época, no ano que vem, e Sara terá um filho".

> Sara teve medo e, por isso, mentiu: "Eu não ri". Mas ele disse: "Não é verdade. Você riu".
>
> GÊNESIS 18.1-15

A história do "pai da fé", Abraão, é bastante conhecida. A Bíblia narra os seus acontecimentos a partir de Gênesis 12, quando o Senhor lhe diz: "Deixe sua terra natal, seus parentes e a família de seu pai e vá à terra que eu lhe mostrarei. Farei de você uma grande nação, o abençoarei e o tornarei famoso, e você será uma bênção para outros" (Gn 12.1-2). Deus visita Abraão, lhe dá uma missão e termina fazendo uma promessa.

Promessas são extraordinárias, pois elas norteiam a nossa vida. Promessas de dias melhores, de portas abertas, de superação de limites, de bênçãos e de grandes conquistas. São elas que movem nosso coração. Talvez o que tenha mantido você de pé até aqui tenha sido uma promessa; algo que você ouviu da parte de Deus há muito tempo, mas que ainda não se cumpriu. Apesar de todas as dificuldades, a expectativa sobre a concretização dela é o que move o seu coração.

Promessas e lutas

Escorado na promessa de Deus, Abraão sai da sua terra natal em direção a Canaã levando sua esposa,

Sara, seu sobrinho Ló e seus bens. Sempre que caminhamos sustentados pelo que Deus disse, a jornada se torna segura. Não será fácil, mas será segura.

Deus nos faz promessas, mas ele não nos isenta de lutas e dificuldades, porque são essas situações que provam nosso coração e nos preparam para o momento exato do cumprimento da promessa. Afinal, nem sempre estamos prontos de imediato para experimentar a efetivação dela. Nós recebemos uma palavra em nosso coração, e ela é acalentada pela nossa fé, mas são as dificuldades e os problemas que tratam nossa alma para o cumprimento dessa palavra.

Nós recebemos uma palavra em nosso coração, e ela é acalentada pela nossa fé, mas são as dificuldades e os problemas que tratam nossa alma para o cumprimento dessa palavra.

Houve tanta fome em Canaã que Abraão teve de mudar-se, mesmo que temporariamente, para o Egito (Gn 12.10). As lutas de Abraão foram tão grandes que ele até tentou ludibriar o rei egípcio dizendo que Sara não era sua esposa. Muitas foram as lutas daquele homem. Se em Gênesis 12 Deus fez a promessa de que o abençoaria e, a partir dele, faria uma grande nação, no capítulo 18 estamos diante da realidade: para que, de fato, Abraão prosperasse e sua família se multiplicasse, o Senhor ainda precisava operar um grande milagre: abrir a madre da estéril Sara. É interessante ver como as promessas de Deus vêm, às vezes, em um contexto que fere a lógica. Em alguns momentos, ela fala coisas que são humanamente impossíveis de acontecer. Mas não se intimide: maior é aquele que fez a promessa e é poderoso para cumpri-la do que os obstáculos e desafios que você tem pela frente.

Desconfie quando uma promessa de Deus é fácil demais. Será que realmente foi Deus quem falou? Pode ser fruto da sua própria intenção, do seu desejo, da sua emoção. Quando o Senhor fala, ele realmente mexe conosco. Deus enviou Abraão para outro lugar, debaixo da promessa de que faria dele uma grande nação, mas a verdade é que o tempo foi passando e nada parecia acontecer.

É importante sabermos que Deus usa o tempo como instrumento para nos aperfeiçoar. Quanto mais o tempo passa, mais trabalhados pelo Senhor nós somos. Assim como a água que cai em uma pedra dura modifica a sua superfície, o tempo trabalha em nós retirando as imperfeições, aparando as pontas. Certa vez estive em Cuiabá e visitei a Chapada dos Guimarães. No caminho até lá, eu me senti maravilhado ao ver aquele cenário trabalhado pelas mãos do Criador. Mas, no meio da viagem, me perguntaram se eu gostaria de parar num lugar chamado "Porta do Inferno". Assim o chamam porque naquele local há muitos casos de suicídio. Lá, pude notar que a erosão produzida pela água e pelo vento, com o tempo, resultou em desenhos que nenhuma mão humana seria capaz de fazer. O tempo pode produzir transformações em nossa vida que nos preparam para sermos recipientes de uma promessa e meios para o cumprimento de uma palavra. No caso de Abraão, o tempo foi passando e parecia que, cada vez mais, seu coração caía em desespero, enquanto o de Sara se tornava cético. Percebemos esse sentimento ao observarmos a reação dela durante a conversa com os três visitantes. Há momentos em que o que Deus nos fala é algo que ele já havia dito antes, mas que precisava confirmar em nosso coração, porque o tempo nos roubou a fé.

Sara riu, e riu de Deus. A descrença de Sara estava baseada no fato de que ela e o esposo já eram bem velhos. "Como poderia uma mulher da minha idade ter esse prazer, ainda mais quando meu senhor, meu marido, também é idoso?" (Gn 18.12), perguntou ela. Ao observar as circunstâncias e analisar as condições naturais, sua fé sucumbiu diante dos fatos. Se hoje usamos muitos artifícios para disfarçar a idade (maquiagem, lipoaspiração e botox, por exemplo), naquela época era impossível. Num calor escaldante, no solo de um deserto árido e seco, uma mulher velha, com a pele cansada e enrugada, não conseguia esconder suas marcas de expressão esculpidas por anos de sofrimento, dor e luta.

Assim, Sara observou sua própria realidade e pensou: "É evidente que não vai acontecer o que Deus prometeu". Às vezes, é assim mesmo: vemos o tempo passar, e as cicatrizes que ele imprime sobre nossa alma nos levam a pôr mais peso na balança contra aquilo que Deus já falou.

Celebrando a presença de Deus

O texto bíblico diz que, tempos depois de fazer a promessa a Abraão, Deus lhe aparece por meio de três homens. Eu gosto de ver como Abraão os acolhe, isto é, como ele prepara algo especial para receber Deus em sua presença. Isso é importante, pois a maneira como eu recebo a presença de Deus muda totalmente meu ambiente.

Quando Abraão percebe que o Senhor está naquele lugar, junto ao bosque de carvalhos de Manre, ele organiza uma festa de última hora, sem nada planejado. Imediatamente, diz para Sara preparar pães, corre até o rebanho, escolhe um novilho novo e de carne macia e o entrega para seu servo preparar a refeição. É interessante a expressão utilizada no versículo 7 em referência ao novilho escolhido: "tenro". Para Deus a gente oferece sempre o melhor. A maneira como eu recebo a presença de Deus muda o resultado na minha história. Muitas vezes, tratamos os cultos e os momentos de adoração de forma banal, sem nada especial. A questão é que o culto não é para nós; é para Deus! Somos nós que criamos o ambiente para prestar a honra que lhe é devida.

Hoje em dia, lamentavelmente, chegamos à igreja como se fôssemos consumidores da fé, certos de que é nosso direito receber algo. Claro que, quando vamos à igreja, temos a expectativa de ser edificados e de participar de uma programação bem feita, organizada, mas a qualidade de um culto está naquilo que eu estou disposto a oferecer ao Senhor.

Hoje em dia, lamentavelmente, chegamos à igreja como se fôssemos consumidores da fé, certos de que é nosso direito receber algo [...], *mas a qualidade de um culto está naquilo que eu estou disposto a oferecer ao Senhor.*

Meu pai, pastor experiente, com mais de 52 anos de ministério, sempre me diz: "Quando chegamos dispostos a oferecer o nosso melhor a Deus, não existe culto ruim". A qualidade do culto está diretamente ligada à qualidade da minha adoração.

Quando os três homens aparecem, Abraão diz: "Meu senhor, se assim desejar, pare aqui um pouco. Descanse à sombra desta árvore enquanto mando trazer água para lavarem os pés. E, uma vez que honraram seu servo com esta visita, prepararei uma refeição para restaurar suas forças antes de seguirem viagem" (v. 3-5). Abraão aproveita a oportunidade e os convida a ficar. Ele manda lavar seus pés, oferece descanso e providencia alimento. A mesa posta ficou bonita, porque a maneira como eu celebro a presença de Deus muda o resultado em minha vida.

Como precisamos celebrar mais a companhia do nosso Senhor! Para muitos, os cultos não são encontros com Deus, mas apenas programações religiosas, inclusive com hora para começar e terminar. Com essa postura, nada vai acontecer conosco, porque, afinal, o que importa é como reagimos à presença de Deus. Davi, o homem segundo o coração de Deus (At 13.22), disse: "Alegrei-me quando me disseram: 'Vamos à casa do SENHOR'" (Sl 122.1). Há uma promessa a se cumprir, e eu sei que é na presença de Deus que meu coração será renovado.

Abraão estava lá, sentado do lado de fora da tenda, no calor mais intenso do dia, e Sara do lado de dentro. Não sabemos quais eram os pensamentos do casal naquele momento, mas podemos conjecturar.

Talvez eles estivessem lamentando que o tempo havia passado e nada acontecera conforme Deus havia prometido. Mas, muitas vezes, é em momentos como esse que o Senhor vem. É no "calor do dia", quando a adversidade está intensa, quando achamos que ele se esqueceu de nós. É nessa hora que ele vem e espera que o recebamos com alegria e honra.

"Honra" é a palavra ideal para traduzir as reações de Abraão e Sara. A honra ao Senhor é o respeito que expressamos ao recebê-lo. Abraão quis ser hospitaleiro e providenciou imediatamente tudo aquilo de que os visitantes precisavam — e do melhor. Ele os acolheu com alegria, comida e conversa boa ao redor da mesa.

Como precisamos aprender com esse episódio! Mesmo em meio à luta, eu celebro a presença de Deus. Mesmo quando me sinto injustiçado ou revoltado com alguma situação, o adoro. Abraão foi o pai da fé porque, mesmo no calor do dia, mesmo em meio a uma longa espera, ele não reclamou nem cobrou nada do Senhor. Pelo contrário, ao se encontrar com Deus, Abraão celebrou sua divina presença, sem apontar o dedo. Ele não alegou que sua esposa estava impaciente e que estavam sofrendo muito com tudo aquilo. Quem tem fé se alegra mais com a presença de Deus do que com o cumprimento da promessa; é o ímpio quem faz o contrário. Qualquer um celebra quando está tudo bem, quando a porta se abriu, quando o vento está favorável. Mas quem continua honrando a Deus no calor escaldante e sem promessas cumpridas? Só quem é servo fiel.

Abraão permanece junto aos visitantes, debaixo da árvore, e eles comem em comunhão com o Senhor. Assim como ele, fique mais com Deus. Muitas vezes, interesseiros, nos aproximamos do Pai apenas para usufruir do que ele tem a nos oferecer e vamos à igreja apenas para fazer pedidos. Somos pedintes da fé: buscamos uma bênção de porta em porta e, quando a recebemos, vamos embora e nunca mais voltamos. Mas Deus prefere simplesmente a comunhão conosco.

Como seria bom se fôssemos mais dispostos a celebrar, honrar e ter comunhão com Deus! Que felicidade seria se entrássemos pelas portas da igreja ou em qualquer ambiente de adoração e culto sem pedir nada, mas exclusivamente para ter comunhão com nosso Deus, para comer à mesa com ele, adorá-lo, servi-lo com o que temos de melhor! Devemos oferecer ao Senhor tudo aquilo que temos de mais perfeito.

Abraão não escolhe qualquer novilho, mas corre até o rebanho e seleciona um novilho "tenro". Ele chama o criado, que se apressa para prepará-lo. A oportunidade de adorar e de servir a Deus chegou e Abraão não está preocupado em questionar o que deixou de acontecer. O patriarca está firme, crendo que aquela é uma chance para ter comunhão com Deus. Quando Deus prova nosso coração e vê que temos mais alegria em estar em sua presença do que em receber bênçãos, ele reage positivamente.

> *Que felicidade seria se entrássemos pelas portas da igreja ou em qualquer ambiente de adoração e culto sem pedir nada, mas exclusivamente para ter comunhão com nosso Deus, para comer à mesa com ele, adorá-lo, servi-lo com o que temos de melhor!*

Comer é símbolo de intimidade e comunhão, e eles comeram juntos, conversando ao redor da mesa. Às vezes, queremos receber uma palavra direta de Deus, mas o que ele quer é que invistamos tempo na comunhão. Na comunhão há revelação. Eu não conheço nenhuma casa onde o quarto fica na porta da frente da rua. Normalmente não é assim. Antes de você chegar ao quarto, que é o lugar da intimidade, você tem de passar pela sala da comunhão. Antes da manifestação mais íntima, é necessário ter comunhão e relacionamento.

No tempo certo

Então, os visitantes lhe perguntaram: "Onde está Sara, sua mulher?" (v. 9). "Está dentro da tenda", respondeu Abraão. O curioso é que Sara nem sequer sai de lá; fica escondida, ouvindo a conversa. Então um dos visitantes diz: "Voltarei a visitar você por esta época, no ano que vem, e sua mulher, Sara, terá um filho" (v. 10). Ouvindo de longe, Sara pode ter pensado: "De novo esse assunto? Ah, mas agora eles deram um prazo específico!".

Sempre haverá um tempo para o cumprimento daquilo que Deus disse que faria. Pedro escreveu: "Na verdade, o Senhor não demora em cumprir sua promessa, como pensam alguns. Pelo contrário, ele é paciente por causa de vocês. Não deseja que ninguém seja destruído, mas que todos se arrependam" (2Pe 3.9). Você pode até rir da possibilidade, mas uma coisa é certa: chegará a hora em que Deus cumprirá o que prometeu, visto que ele não volta atrás em sua palavra. Ele pode até encontrar um coração cético, descrente e zombador, mas, mesmo assim, ele vem e zela pelo cumprimento de sua palavra.

Quando nada acontece, achamos que Deus se esqueceu de nós. Isso não é verdade. Não menospreze a espera. Haverá um momento em que Deus dará um prazo claro e específico. No relógio divino, o tempo não para. Não sabemos quando, mas, na agenda dele, em seu *kairós*, o hoje está muito mais perto do que estava ontem. Está chegando a hora em que ele cumprirá o que prometeu.

Abraão e Sara já eram velhos, e ela não ovulava mais. Deus não ignora a realidade do tempo, mas ele é Senhor das circunstâncias. Aquele que criou os céus e a terra pelo poder da sua palavra não precisa de matéria-prima para produzir milagres. Deus é Deus do jeito que ele é. O Criador traz à existência as coisas que não existem (Rm 4.17). Um dos obstáculos para continuarmos crendo é acharmos que, para realizar um milagre, Deus precisa de algo além da sua própria palavra. Mas ele não precisa de nada. Mesmo em circunstâncias contrárias, ele concretiza seus propósitos.

O tempo de Sara ser mãe já havia cessado e Abraão já era velho. Por isso, ela ri. Quantos de nós estamos rindo de Deus? Talvez você esteja fazendo isso hoje, neste exato momento. Por favor, não faça isso, porque, com Deus, prevalece aquele velho ditado: "Quem ri por último, ri melhor". O último riso sempre será o de Deus.

Talvez Sara tenha sido sarcástica. "Será que eles conhecem a minha realidade? Não percebem que já esperei muito anos? Eu não tenho mais jeito". E quanto a nós? Também não dizemos coisas como: "Eu acho que ele não me conhece direito. Não sabe em que circunstâncias estou vivendo, que não tenho mais dinheiro, portanto o que ele me disse no passado não acontecerá". Todavia, quando colocamos diante de Deus as nossas impossibilidades, ele responde: "Não se preocupe. Nem o tempo nem as circunstâncias vão me impedir de fazer prevalecer a minha palavra". Deus vai fazer acontecer.

Talvez você creia que já esperou demais. Você fez votos a Deus e esperou por resultados, mas nada aconteceu. O dinheiro acabou, as possibilidades se esgotaram. Se é o caso, saiba de uma realidade: é em meio às nossas impossibilidades que Deus mais gosta de agir. O terreno do impossível é tudo de que Deus precisa para operar um milagre em sua vida. Quem sabe você não está lendo este livro no meio de uma luta, de dores, enfrentando mil questionamentos?

Rindo por dentro

Sara riu em seu íntimo, mas o Senhor ouviu. Não se engane, Deus vê e ouve o que acontece no recôndito da sua alma. Ele não se impressiona com suas *performances*. Ele recolhe nossas lágrimas em seu odre. Ele sabe o que acontece no seu interior, lá dentro, pois sonda e conhece os seus pensamentos. Davi diz que o Senhor nos conhece profundamente: "Antes mesmo de eu falar, SENHOR, sabes o que vou dizer" (Sl 139.4).

Confesso que já me encontrei em situações nas quais tive de guardar a compostura, quando, por dentro, a vontade era de rir. Deus fala, algo acontece, mas estamos sempre do lado de fora, rindo por dentro. Você pode retrucar, dizendo que eu não conheço sua vida, não sei pelo que você está passando, que é fácil dizer, na teoria, que Deus fará algo, mas, na prática, essas teorias não se encaixam em sua história. Se é o caso, saiba de uma coisa: Sara riu porque pôs mais peso no que ela vivia do que naquilo que Deus falou. Quantas vezes não fazemos a mesma coisa? Colocamos mais peso naquilo que estamos vendo do que naquilo que Deus disse que fará em nossa vida.

Sara riu porque pôs mais peso no que ela vivia do que naquilo que Deus falou. Quantas vezes não fazemos a mesma coisa? Colocamos mais peso naquilo que estamos vendo do que naquilo que Deus disse que fará em nossa vida.

Sara riu, e o Senhor, então, perguntou: "Por que Sara riu?" (18.13). Eu também quero perguntar: por que você anda rindo, achando que é impossível acontecer? Só porque a situação não lhe é favorável? Só porque a sua lógica diz que não é possível mudar as circunstâncias? Só porque você não tem mais os recursos? Diante da reação de Sara, Deus pergunta: "Existe alguma coisa difícil demais para o Senhor?" (18.14). Em outras palavras, Deus está dizendo: "Abraão, você acha que tem algo que eu não possa resolver? Você realmente acredita que seu problema é difícil demais para mim?". E você, de fato, acha que a situação econômica, o desemprego e as contas a pagar saíram do controle de Deus? Porventura há alguma coisa demasiadamente difícil para Deus?

Meu desejo é encher o seu coração de fé e esperança. Não quero que você ignore a realidade dos fatos; no entanto, por mais que sua jornada seja dura, confie mais em Deus que nas circunstâncias. Ouça o que Deus diz, e não o seu problema. Creia, tão somente creia. Apesar dos cenários desfavoráveis, Deus continua sendo Deus, e ele vai surpreender você. Temos de acreditar que a porta vai se abrir — isto é fé. Na hora certa, no tempo do Senhor. Portanto, neste momento, em vez de rir, comece a celebrar e exaltar a presença de Deus, porque ele não se esqueceu das promessas que fez.

Assim como o povo peregrinava em direção à cidade santa, cantando a bondade do Senhor e seu poder de restauração, assim também será com você. Você rirá novamente, não mais com ceticismo, mas, sim, com alegria. "Quando o SENHOR trouxe os exilados de volta a Sião, foi como um sonho. Nossa boca se encheu de riso, e cantamos de alegria. As outras nações disseram: 'O SENHOR fez coisas grandiosas por eles'" (Sl 126.1-2).

Acaso para o Senhor há algo que seja demasiadamente difícil? Nada. Creia e continue celebrando a divina presença. Tenha prazer na comunhão com ele. Por mais que as situações tentem convencê-lo do contrário, o melhor da parte de Deus o alcançará. Na hora certa a porta vai se abrir, se essa for a vontade de Deus. O que você não pode fazer é rir, zombando das promessas de Deus. Não o subestime nem duvide. Não! Continue. Por mais que o tempo de espera seja longo e o calor do dia seja intenso demais, não desista. Deus virá com uma palavra de ânimo, esperança e conforto, renovando sua promessa.

Creia. Confie. Espere. Ore. E Deus agirá.

4

Princípios para superar limites e alcançar grandes conquistas

O SENHOR tinha dito a Abrão: "Deixe sua terra natal, seus parentes e a família de seu pai e vá à terra que eu lhe mostrarei. Farei de você uma grande nação, o abençoarei e o tornarei famoso, e você será uma bênção para outros. Abençoarei os que o abençoarem e amaldiçoarei os que o amaldiçoarem. Por meio de você, todas as famílias da terra serão abençoadas".

GÊNESIS 12.1-3

A despeito das lutas que todos enfrentamos, o que nos move sempre em direção ao amanhã é a expectativa de que Deus, em sua infinita graça e misericórdia, nos usará para superar limites e alcançar grandes conquistas. O que me faz levantar da cama todos os dias, sair de casa e seguir em direção a uma jornada nova é a esperança de que em Deus tudo é possível.

Não sei quanto a você, mas o que me move todas as manhãs é saber que o extraordinário irá me alcançar a qualquer momento. É preciso acordar diariamente com a convicção de que Deus nos chamou para algo grandioso e de que suas promessas em minha vida se cumprirão.

A história de Abraão narra a realização de coisas grandes em meio a um cenário de impossibilidades. A trajetória do patriarca é cercada de mistérios que nos impulsionam a romper os limites que nos cercam. Nenhum de nós tem a possibilidade de "rebobinar a fita" da vida e voltar ao passado para recuperar as chances perdidas, para evitar tragédias ou repensar palavras que proferimos. Mas todos nós temos hoje a possibilidade de dar início a um novo tempo em nossa vida. Talvez o seu passado e o seu presente não tenham sido perfeitos, mas eu gostaria de ajudá-lo a olhar para o futuro, a partir do exemplo de Abraão. O que você será no futuro dependerá das suas decisões de agora, evidentemente debaixo da soberania de Deus.

A jornada de Abraão começa muito antes do episódio da visita dos anjos a ele e Sara. Sua saga começa no relato bíblico com a narrativa de uma tragédia familiar (Gn 11). Seu pai, Terá, gerou três filhos: Abraão, Naor e Harã. Ele tinha o sonho de oferecer o melhor para a família, mas teve de sepultar seu filho Harã em Ur, sua terra natal. Algumas tragédias da vida têm o poder de nos paralisar ou nos impulsionar para um novo tempo. A Bíblia diz que Terá, diante dessa tragédia, tem o desejo de sair de Ur, com toda a família, e partir para Canaã. Que interessante! O desejo de ir até aquela que seria a terra prometida à descendência de Abraão não nasceu primeiramente no coração do pai da fé, mas, sim, no de seu pai. Essa era a vontade inicial de Terá, mas a Bíblia diz que eles foram até Harã, onde ficaram. Não é coincidência que o nome do lugar onde eles passaram a habitar era exatamente o nome do filho que Terá perdeu.

Algumas situações e episódios em nossa vida servem apenas para nos fazer parar. Estamos caminhando em direção a algo melhor; afinal, queremos superar limites e alcançar novos voos, mas algumas tragédias acontecem e acabamos tornando definitivo o que seria provisório. Terá morre em Harã e lá é sepultado.

Quando Gênesis 12 começa, Abraão é chamado por Deus para sair de Harã. Ele é desafiado a romper as limitações dentro da sua própria casa. O Senhor o chama com a proposta de começar de novo, sem permitir que as fatalidades do passado e as frustrações do presente o impedissem de caminhar em direção a um futuro ideal que Deus havia preparado para sua vida. Talvez você tenha lançado âncora onde a sua tragédia aconteceu, onde o fracasso ou alguma decepção tomou conta da sua vida, mas o meu desejo é que você seja impulsionado pela fé para caminhar em direção a algo que Deus preparou.

Abraão estava no lugar onde seu pai falecera e onde sua família havia desistido de continuar. Aquela era a terra da decepção. Muitos não continuam na jornada porque se deixaram vencer pela frustração a ponto de alimentarem um estado de autocomiseração e autopiedade. Eles acham que não vale a pena prosseguir, que já chegaram no capítulo final da vida e, portanto, nada de diferente aconteceria no futuro. Não! Deus visita Abraão e estabelece princípios para superar limites e alcançar grandes conquistas. São três elementos vitais que, se abraçados, abrem as portas para a realização dos grandiosos propósitos de Deus.

Talvez você tenha lançado âncora onde a sua tragédia aconteceu, onde o fracasso ou alguma decepção tomou conta da sua vida, mas o meu desejo é que você seja impulsionado pela fé para caminhar em direção a algo que Deus preparou.

Rompimento

Todo início envolve rompimento, toda jornada em direção a um tempo novo exige uma ruptura com o passado. É o que vemos no primeiro versículo do capítulo 12: "O Senhor tinha dito a Abrão: 'Deixe sua terra natal...'". Em outras palavras, "tome a decisão de deixar para trás a sua zona de conforto e siga em frente".

Durante uma gestação, o bebê está protegido, no útero, dentro de uma membrana que fica cheia de líquido amniótico. Quando essa membrana se rasga no tempo certo, é a hora de o bebê nascer. Em seguida, os médicos cortam o cordão umbilical. Depois disso, a criança começa a ter uma dependência, uma ligação com sua mãe por meio do peito. Toda criança saudável deve ser alimentada exclusivamente pelo leite materno, mas, após um tempo, é necessário que o bebê deixe o peito e comece a consumir outros tipos de alimento. Em seguida, a criança ainda terá de enfrentar mais uma etapa de rompimento: do colo para o chão. É um processo de ruptura que vai acompanhando o crescimento de um ser humano. Depois do colo, ainda haverá muitas outras decisões de rompimento, em atitudes como engatinhar, andar e ir à escola. Depois da escola, vem o casamento. E assim por diante.

Deus sabia que a única maneira de Abraão viver algo melhor era saindo de Harã. Há lugares que nos confinam, assim como há relacionamentos que nos limitam. Talvez a jornada em direção à nova etapa preparada por Deus em sua vida envolva romper com alguns relacionamentos que o limitam. Certas pessoas perto de você são uma bênção, mas não o ajudam a viver aquilo que Deus tem para você. Não estou dizendo que você deve abruptamente romper uma amizade maravilhosa. Só quero que entenda que todo processo em direção a uma etapa nova de crescimento e amadurecimento vai envolver rompimento. É por essa razão que Deus diz a Abraão: "Deixe sua terra natal, seus parentes e a família de seu pai". A terra é sua, você está com seus parentes e é gostoso conviver com a família. É por isso que tem a chamada "Geração Y", que prefere não sair da casa dos pais. Antigamente, os nossos antepassados saíam de casa mais cedo e então aprendiam mais rapidamente a viver lá fora.

Meu pai saiu de casa com apenas 15 anos. Um de seus irmãos havia ficado doente, e meu pai precisou buscar recursos financeiros para ajudar no tratamento do irmão. Não temos, obviamente, dificuldades de romper com o que é ruim, mas, sim, com o que é bom. Eu tenho aprendido muito que, às vezes, é importante você romper com o que é bom para caminhar em direção àquilo que é o melhor da parte de Deus para a sua vida. O pior inimigo do melhor é o bom.

Eu mesmo saí de casa muito jovem. Recebi a oportunidade de estudar fora do país e precisei romper com o conforto e a segurança da casa dos meus pais. Recordo-me das muitas vezes em que chorei com saudades de casa e da família, escondido debaixo do chuveiro. Mas foi com esse rompimento que aprendi o inglês, estudei em uma universidade americana e pude dar início a um processo de conquistas.

Penso que Deus dá a Abraão essa ordem porque havia um vínculo emocional do patriarca com sua casa. Primeiro porque ele era o filho mais velho e, portanto, o "arrimo" da família. Com a morte do pai, Abraão herdou a responsabilidade de ser o provedor dos seus parentes. Tanto isso é verdade, que quando ele decide, de fato, seguir viagem, tem de levar seu sobrinho Ló. Algumas limitações precisam ser rompidas e devemos pedir a orientação do Espírito Santo para isso. Só assim conseguiremos caminhar em direção aos melhores dias que Deus tem preparado para cada um de nós.

Paulo escreveu aos coríntios: "Quando eu era criança, falava, pensava e raciocinava como criança. Mas, quando me tornei homem, deixei para trás as coisas de criança" (1Co 13.11). Por que temos de deixar a infância? É tão bom ser servido pela mamãe no conforto do quarto! Porém, Deus tem coisas melhores para você. Rompa com os vínculos que o mantêm estagnado no passado e siga em frente.

Direção

Quando Deus nos manda romper, ele não nos deixa soltos e sem direção. Pelo contrário, ele diz: "Deixe sua terra natal, seus parentes e a família de seu pai e vá à terra que eu lhe mostrarei". Nenhum de nós está jogado numa viagem sem rumo, sem eira nem beira. Eu creio firmemente que, para cada um de nós, Deus tem um plano perfeito. Há um caminho, uma jornada, uma chamada, uma proposta divina para nossa vida.

Eu conheço os sonhos que Deus depositou em meu coração, eu sei aquilo que ele me chamou para fazer. Os sonhos que Deus tem dado a você têm como objetivo levá-lo a viver coisas maiores do que aquilo que você consegue imaginar ou realizar sozinho. Deus é a sombra à sua direita e ele vai à sua frente, preparando o caminho, aplanando as veredas, a fim de que você não se desvie do que ele tem de melhor para sua vida, superando limites.

Os sonhos que Deus tem dado a você têm como objetivo levá-lo a viver coisas maiores do que aquilo que você consegue imaginar ou realizar sozinho.

Quando você está disposto a obedecer à direção de Deus, saiba, a jornada terá sempre uma condução segura. Eu tenho descoberto que, quando partimos em direção a algo que Deus tem para nós, há uma bússola, um norte da parte do Senhor. Ele vai nos conduzir a um lugar melhor, a uma terra que ele preparou para nós. Porém, para tanto, precisamos sair, romper, caminhar pela fé. Não se acomode com aquilo que é comum, Deus tem coisa melhor.

Deus não tira você do seu hoje para conduzir a um amanhã pior do que o que você está vivendo. Isso não quer dizer que a jornada não terá percalços ou dificuldades. Estude a história de Abraão e você verá que a jornada dele incluiu uma série de situações difíceis e de problemas. Todavia, no meio disso tudo, Deus o ajudou e o conduziu rumo ao destino que havia preparado para ele. Se Deus chama, ele dá a direção. A promessa do Senhor Jesus a todos que decidem segui-lo é que ele de maneira nenhuma nos deixará, jamais nos abandonará. Na jornada em direção a grandes conquistas, nunca estaremos sozinhos.

Identidade e propósito

Quando Deus nos chama para romper e nos dá uma direção, ele também nos dá uma identidade e um propósito. Ele disse a Abraão: "Farei de você uma grande nação". No entanto, o cenário em que o patriarca vivia era totalmente adverso à promessa de Deus, já que sua esposa era estéril. É quando o Senhor diz: "Pode sair, Abraão, acredite em mim. Eu vou superar suas expectativas e vou levá-lo a romper os limites que o fizeram viver confinado à realidade que o fez acreditar que não há nada de melhor para seu futuro. Mas tenho uma identidade e um propósito para você".

Deus nos chama a conquistar uma identidade. Ele nos comissionou a fazer coisas grandes, feitos que tragam honra e excelência. Por isso, não admite que nos contentemos com ações medíocres. Nunca subestime o que Deus é capaz de fazer. Há coisas grandes que serão feitas por meio da sua vida, seja na sua igreja, seja no seu trabalho, seja na sua família. Por meio de você, Deus fará coisas surpreendentes e, consequentemente, você obterá grandes conquistas! E faça tudo sempre debaixo de uma convicção constante da necessidade de obediência, pois a obediência que leva ao rompimento traz consigo a bênção de Deus.

Creio que, enquanto você não estiver disposto a romper, a desligar as ataduras que o prendem e caminhar em direção a um futuro melhor de Deus para sua vida, a bênção não chegará. Mas, se você ousar caminhar pela fé, romper, quebrar algumas cordas que o impedem de seguir em direção a dias melhores, aí acontecerá o que Deus disse: "o abençoarei".

Com a bênção de Deus sobre nós, nada conseguirá nos impedir de realizar o nosso chamado e cumprir o propósito divino para nossa vida. Deus dá ordem e direção a Abraão, mas também enche o seu coração de motivação e segurança, dizendo: "Farei de você uma grande nação, o abençoarei e o tornarei famoso, e você será uma bênção para outros". Deus nos abençoa, ao mesmo tempo que nos chama para abençoar outros.

Parte 2

Fé no impossível

5

Fé em Deus no processo de conquista

Os portões de Jericó estavam muito bem fechados, pois seus habitantes tinham medo dos israelitas. Ninguém podia sair nem entrar. Mas o SENHOR disse a Josué: "Eu lhe entreguei Jericó, seu rei e todos os seus fortes guerreiros. Você e seus homens de guerra marcharão ao redor da cidade uma vez por dia, durante seis dias. Sete sacerdotes irão à frente da arca, e cada um levará uma trombeta de chifre de carneiro. No sétimo dia, marchem ao redor da cidade sete vezes, enquanto os sacerdotes tocam as trombetas. Quando os sacerdotes fizerem soar um toque longo, todo o povo dará um forte grito de guerra. Então cairá o muro da cidade e o povo atacará, cada um do ponto onde estiver".

JOSUÉ 6.1-5

Muitos processos de conquista enfrentam oposição. Podemos identificar esse fato no episódio em que Josué e seu exército entraram em Jericó. Os portões da cidade estavam rigorosamente fechados para impedir que os filhos de Israel invadissem. Nada vem de forma fácil; você com muita frequência encontrará dificuldades para alcançar uma conquista. As forças da maldade atacam ferozmente nossa vida, nossa família, nosso relacionamento com Deus. Satanás não quer que tenhamos uma casa abençoada, um casamento transformado e filhos salvos. Ele não deseja que tenhamos experiências profundas e sobrenaturais com Deus, que geram intimidade entre nós e o Espírito Santo. Tenha certeza de que o diabo fará de tudo para evitar que você obtenha vitórias: criará barreiras e tentará fechar todas as portas para que você comece a pensar que é impossível alcançar as conquistas que Deus tem para sua vida. Esse era o cenário de Josué diante de Jericó: oposição grande, com tudo rigorosamente fechado.

Por mais que seus olhos digam que é impossível sonhar, que não há como mudar, eu gostaria que você aprendesse com esse episódio da vida de Josué e dos israelitas que, quando Deus ordena a bênção e o favor dele, não há nada que possa impedir que você tenha dias melhores. Portanto, a confiança no Senhor é imprescindível no processo de alcançar grandes conquistas.

Josué chega a Jericó e encontra um cenário desfavorável: muros altos, portões fechados, todo mundo dizendo que não havia jeito. Você já se viu em uma situação assim? Talvez seja a realidade da sua vida hoje. Muralhas intransponíveis, dificuldades e desafios extremos. Mas a história de Josué apresenta verdades que nos ajudarão a caminhar em direção ao processo de conquista que Deus tem para nossa vida.

A primeira realidade que aprendemos é que Deus tem promessas para os que lhe pertencem. Se você é filho de Deus, ele tem promessas para a sua vida. Fico sempre emocionado quando me lembro do que o Senhor prometeu, pela boca do profeta Jeremias, aos israelitas exilados na Babilônia: "'Porque eu sei os planos que tenho para vocês', diz o Senhor. 'São planos de bem, e não de mal, para lhes dar o futuro pelo qual anseiam'" (Jr 29.11). Assim como foi com eles, Deus tem promessas para nós hoje. Não pense que você está caminhando à mercê da sorte, que seu caminho não tem uma direção baseada no que o Senhor planeja para sua vida. Isso não é verdade. Assim como Deus tinha planos para os israelitas exilados, ele tem também para você, hoje. Deus tem propósitos para nós. Ele não tirou o povo do Egito, dizendo: "Vão saindo e no meio do caminho a gente vê o que acontece". Não! Sempre que alguém inicia uma nova jornada com Cristo, há um projeto de Deus para essa pessoa.

Já no início de sua fala, Deus faz promessas a Josué: "Eu lhe entreguei Jericó, seu rei e todos os seus fortes guerreiros" (v. 2). Promessa. Mesmo que ainda não tenha acontecido, Deus já entregou a cidade de Jericó ao seu povo. Isso é o que acontece conosco: antes que algo seja palpável no mundo material, já existe no espiritual. Tudo aquilo que você ainda não viu já existe para você em Cristo Jesus. Como é bom saber que Deus já preparou para a minha vida tudo de que preciso! Eu ainda não toquei, mas vou alcançar.

Alguns reclamam: "Pastor, ainda não me casei". Fique tranquilo! Sua hora vai chegar. "Pastor, mas o tempo está passando, a coisa está apertando". Calma, Deus não está alheio à sua vida. É por isso que Paulo escreve assim à igreja em Éfeso: "Todo louvor seja a Deus, o Pai de nosso Senhor Jesus Cristo, *que nos abençoou* em Cristo com todas as bênçãos espirituais nos domínios celestiais" (Ef 1.3). O Senhor não disse que vai nos abençoar, mas, sim, que *já nos abençoou* com toda sorte de bênçãos nas regiões celestiais, em Cristo Jesus.

Eu já sou abençoado. Já sou bendito de Deus. Que coisa maravilhosa! Não devemos olhar para o futuro, pensando: "Será que vai ser bom?". Diante do que Deus já fez, devo olhar para o que virá não com incertezas, mas, sim, com a confiança de que teremos dias de bênçãos. Entre a promessa e o seu cumprimento, há um caminho que devemos trilhar — com fé, e não com dúvida.

Diante do que Deus já fez, devo olhar para o que virá não com incertezas, mas, sim, com a confiança de que teremos dias de bênçãos. Entre a promessa e o seu cumprimento, há um caminho que devemos trilhar — com fé, e não com dúvida.

Quando Josué está diante de Jericó, olha para cima e vê, à sua frente, um homem em pé com uma espada na mão. "Josué se aproximou e lhe perguntou: 'Você é amigo ou inimigo?'. O homem respondeu: 'Na verdade, cheguei agora e sou comandante do exército do Senhor'" (5.13-14). Que visão maravilhosa! O que esse diálogo nos ensina? Que Deus não apenas faz promessas, mas ele próprio intervém na nossa jornada. Ele guerreia as nossas batalhas. O comandante do exército do Senhor está com uma espada na mão. As palavras do rei Josafá ao povo de Judá são uma verdade sobre a sua vida também. Seja forte e corajoso! Há um poder muito maior que está do nosso lado.

Saiba que antes mesmo de você chegar a algum lugar com promessa, Deus já está lá. Você não sabe o que acontecerá no futuro, mas Deus já está presente, preparado para pelejar as nossas batalhas. É fantástico saber que, no processo de grandes conquistas, Deus irá à minha frente. Ele já conhece o meu e o seu destino, ele já sabe como será o fim da nossa história em Cristo Jesus. Que bom saber que no processo de conquista há uma promessa e Deus nos encontra às portas daquilo que ele tem preparado para conquistarmos.

Olhe para Deus, e não para o problema

Confiar em Deus, a fim de obter grandes conquistas, exige que você mantenha o foco no Senhor, e não no problema. Um dos grandes obstáculos para a conquista é quando nós dimensionamos demais o problema e, ao mesmo tempo, diminuímos a ação de Deus em nosso favor. Algumas pessoas sempre têm uma percepção negativa das coisas, valorizando mais a dificuldade que as possibilidades. Para elas, tudo é muito difícil e, pessimistas, acreditam que não conseguirão nada. Um dos segredos para um processo de conquista vitorioso é olhar para Deus com confiança, e não para o problema. O que o salmista afirma? “Olho para os montes...” (Sl 121.1). No entanto, algumas pessoas olham somente para o vale, e não para os montes. Quem anda com Deus precisa aprender a olhar para cima, porque é do alto que vem o socorro.

Uma frase comum em nosso meio evangélico ilustra bem o que estou dizendo: "Não diga para seu Deus o tamanho do seu problema; diga para o seu problema o tamanho do seu Deus". É lugar-comum, mas é isso mesmo! Tudo é possível ao que crê; não há nada para o Senhor que seja demasiadamente difícil. Não há enfermidade que ele não possa curar, porta alguma que ele não possa abrir, circunstância que ele não consiga transformar. Pare de olhar para o problema e comece a olhar para o Senhor! Creia que o Deus que você tem buscado, que você tem servido, é Senhor da sua vida e poderoso para suprir cada uma das suas necessidades, não importam quais sejam. Não importa o tipo de necessidade, material, espiritual ou emocional, Deus tem todo o poder para suprir aquilo de que você precisa. Ele é suficientemente capaz de satisfazer cada carência sua.

Do ponto de vista humano, pode parecer impossível conquistar o que você almeja, mas, quando começamos a olhar para a situação com os olhos fitos no poder infinito de Deus, e não nas dimensões do problema, tudo se torna possível. Lembre-se de algo fundamental: quem realiza não é você; é Deus por meio de você. Se ele quiser, moverá céus e terra em seu favor, e aquilo que você pensa ser impossível acontecerá. E por que ele faz isso? Para que o nome dele seja glorificado por meio da realização do que parecia impossível.

Confie nos planos de Deus, mesmo que eles pareçam sem sentido

Outra verdade que aprendemos no episódio da tomada de Jericó é que, no processo de conquista, precisamos confiar nos planos de Deus, mesmo que eles pareçam não fazer sentido naquele momento.

Se Josué entregasse os planos nas mãos de um especialista em estratégias de batalha e logística, ele elaboraria inúmeras soluções para invadir uma cidade tão fortificada como Jericó, mas dificilmente elaboraria algo aparentemente tão sem sentido como o que Deus estabeleceu: rodear a cidade uma vez por dia, durante seis dias. Além disso, sete sacerdotes iriam à frente da arca, cada um levando uma trombeta de chifre de carneiro. No sétimo dia, eles deveriam marchar ao redor de Jericó sete vezes, ao mesmo tempo que os sacerdotes tocassem as trombetas. Quando as trombetas dos sacerdotes soassem um toque longo, os soldados deveriam dar um forte grito de guerra.

Que loucura! Que plano sem sentido é esse? Deus quer fazer os inimigos ficarem tontos de tanto nos olhar rodeando sua cidade? Isso é loucura, não faz sentido, não tem lógica. Mas quem quer conquistar algo importante precisa parar de tentar ensinar a Deus como ele deve agir. Os caminhos do Senhor são mais altos que os nossos, e por isso não o entendemos, pois temos uma visão muito periférica, enxergamos a questão de modo muito limitado. É como exclamou o apóstolo Paulo: "Como são grandes as riquezas, a sabedoria e o conhecimento de Deus! É impossível entendermos suas decisões e seus caminhos!" (Rm 11.33).

Pare de racionalizar a sua fé. Deus é incompreensível. "Pois quem conhece os pensamentos do Senhor? Quem sabe o suficiente para aconselhá-lo?" (Rm 11.34; Is 40.13). Impossível. Se você tentar entender Deus, ficará louco. É complicado, por exemplo, entender o plano de Deus para José. Como transformar o filho de Jacó em governador do Egito? Deus responde: primeiro, ele será jogado pelos próprios irmãos em um buraco e vendido como escravo. Depois, no Egito, José será acusado de assédio sexual e preso. Na prisão, ele vai interpretar

Os caminhos do Senhor são mais altos que os nossos, e por isso não o entendemos, pois temos uma visão muito periférica, enxergamos a questão de modo muito limitado.

o sonho de dois prisioneiros, mas continuará preso, porque será esquecido por quem ele ajudou. Tudo isso aconteceu antes de José se tornar, finalmente, governador do Egito. Quem poderia acreditar nesse plano? Quem pode duvidar que, após o resultado final, Deus não é infinitamente mais sábio que nós? No final, José entendeu definitivamente os planos de Deus e assim declarou aos seus irmãos: "Deus planejou tudo para o bem. Colocou-me neste cargo para que eu pudesse salvar a vida de muitos" (Gn 50.20).

A obediência a Deus deve ser irrestrita. Noé recebeu uma revelação de coisas que não se podia ver e obedeceu. Construiu uma arca em meio à terra seca, sem questionar, usando somente a sua fé. Precisamos obedecer mesmo quando não entendemos.

Talvez esta seja a grande razão de muitos não alcançarem grandes conquistas: questionam demais. A bênção só virá quando você crer e seguir o processo estabelecido por Deus. Precisamos estar mais prontos para obedecer do que para questionar. Num momento decisivo da fuga do Egito, Moisés depara com o mar Vermelho à frente e o faraó e seu exército atrás. O que fazer? Ele olha para o alto, para Deus, que, por sua vez, responde: "Por que você está clamando a mim? Diga ao povo que marche!" (Êx 14.15). "Marchar para onde?", Moisés poderia perguntar. Ele, porém, não fez isso, mas pôs o povo para andar. Fé é isto: quando você age crendo que Deus está no controle de tudo, mesmo não compreendendo nada.

Obedeça mais a Deus. Você não quer amar; quer odiar. Não quer perdoar; quer punir. Mas o Espírito Santo fala ao seu coração o contrário. Ele lhe diz para amar e perdoar. Você sabe que sairá no prejuízo financeiro, que se sentirá injustiçado. O que nós não entendemos é que Deus já sabe qual será o desfecho da obediência.

O plano pode parecer absurdo: rodear a cidade seis vezes e, na sétima, mais sete vezes e tocar o chifre de carneiro. Sem espada, sem escudo, sem pelotão, nada de estratégia militar, isto é, tudo para dar errado. Mas não foi o aconteceu, e o estranho plano de Deus prevaleceu. Sempre que quero conquistar algo grande sob a orientação de Deus, preciso confiar que a vontade dele para minha vida é perfeita.

Eu posso não entender hoje, mas amanhã compreenderei. Jesus disse isto a Pedro: "Você não entende agora o que estou fazendo, mas algum dia entenderá" (Jo 13.7). Todos somos demasiadamente lentos para compreender as realidades espirituais. Não sabemos exatamente em que ponto de sua saga José compreendeu os planos de Deus, mas o resultado é que, após se revelar aos seus irmãos, ele lhes disse algo como: "Fiquem tranquilos. O mal que vocês tentaram contra mim Deus estava pronto a transformar em bênção. Na verdade, vocês me ajudaram". Eu já questionei o porquê de algumas cisternas quando me achava dentro delas, mas, lá na frente, percebi quanto isso me levou mais perto do propósito de Deus para minha vida.

Pelas mesmas coisas que reclamamos hoje, agradeceremos amanhã. Pode ser uma demissão ("Aquele patrão injusto me mandou embora"), mas, daqui a algum tempo, você dirá: "Graças a Deus aquele homem me demitiu, porque depois disso eu pude me preparar melhor e ingressar na empresa em que sempre sonhei estar". Às vezes, Deus fecha a porta na nossa cara, mas saiba que será sempre para o nosso bem e para a glória dele.

O poço de José, a traição dos seus irmãos, a acusação falsa da mulher de Potifar, o esquecimento do prisioneiro... tudo contribuiu para que o plano perfeito de Deus se cumprisse na vida de José. Aconteceu no passado, continua acontecendo hoje e devemos crer que acontecerá com você também.

Mantenha a santidade

No seu processo de conquista, mantenha a santidade. Fazia parte do plano de Deus não somente levar os israelitas a entrar em Jericó, mas também que eles não se apossassem de coisa alguma que não fosse deles, além da terra: "Não levem coisa alguma daquilo que foi separado para destruição, ou vocês mesmos serão completamente destruídos e trarão desgraça ao acampamento de Israel" (Js 6.18)

Deus já havia orientado o povo, por meio de Josué, a santificar-se antes de atravessar o Jordão. Agora ele repete a ordem. Tão importante quanto santificar-se antes da conquista é manter-se santo durante o processo. Muitos se esforçam, por meio de campanhas de oração e jejum, como meio de alcançar a bênção de Deus, mas, após a conquista, abrem mão da santidade. Esse é o problema de muitas pessoas: começam bem e terminam mal. Santidade não é algo que acontece de forma ocasional; é um estilo de vida, a maneira como escolhemos ser em todo lugar e em qualquer circunstância.

Santidade não é algo que acontece de forma ocasional; é um estilo de vida, a maneira como escolhemos ser em todo lugar e em qualquer circunstância.

No processo de conquista, se não guardamos nosso coração, a nossa natureza humana mais uma vez aflora, e aquilo que já foi mortificado volta a prevalecer em nossa vida. É por isso que o apóstolo Paulo não tem vergonha de explicar sua luta contra o pecado: "Disciplino meu corpo como um atleta, treinando-o para fazer o que deve, de modo que, depois de ter pregado a outros, eu mesmo não seja desqualificado" (1Co 9.27). Essas são palavras de um dos principais líderes da Igreja após a ascensão de Jesus, o homem que escreveu praticamente metade do Novo Testamento. Paulo está querendo dizer o seguinte: "Se eu não vigiar a minha forma de agir, mesmo que tenha feito grandes coisas, me perderei". Se a nossa natureza não for vigiada segundo a Palavra de Deus e a ação do Espírito Santo, ficaremos no meio do caminho.

Santidade não é algo que eu deva manter somente no início; ela deve ser um estilo de vida durante toda a jornada. Devemos nos dedicar à santidade todo o tempo, pois trata-se de uma busca diária andar de acordo com a vontade do Senhor. Portanto, a orientação divina é: "não leve coisa alguma daquilo que foi separado para a destruição". Estas são coisas condenadas pelo próprio Deus.

Não temos nenhuma autoridade nem capacidade de dizer, no lugar de Deus, o que é ou não condenável. É por essa razão que recorremos à Bíblia, por meio da qual devemos observar a vontade divina e agir em consonância com ela. A Escritura é o nosso livro de vida. É o que o salmista nos ensina: "Como pode o jovem se manter puro? Obedecendo à tua palavra" (Sl 119.9). Não é ouvindo outros que você conseguirá manter a pureza, mas, sim, caminhando segundo a Palavra de Deus, sob a orientação que vem dela. Assim, a santidade será uma companheira fiel durante toda a vida.

Persevere

Qual é o plano de Deus? Cercar Jericó por seis dias. No primeiro dia, todo mundo está animado. Conosco também é assim, o começo do processo de obter grandes conquistas é sempre cheio de ânimo. Iniciamos um regime, nos matriculamos na academia, compramos a roupa apropriada e um tênis novo, até mesmo fazemos uma *selfie* na frente do espelho. Ou, como também é comum, no início do ano, decidimos ler todos os 66 livros da Bíblia. "Será uma moleza", você diz, "vou humilhar o diabo!". Então começa lendo Gênesis, com suas histórias lindas. Êxodo: a peregrinação no deserto. Mas aí vem Números. "Oh, Deus, posso pular esse livro?". Não adianta ter ânimo apenas no início; é preciso perseverar até o fim.

Suponho que, durante o cerco a Jericó, algumas pessoas tenham perdido o ânimo. Sejamos sinceros: será que, quando chegasse o terceiro dia, não teríamos vontade de dar uma desculpa para não precisar dar mais uma volta ao redor da cidade? Por que somos assim? Quando Paulo escreve à igreja na Galácia, ele faz um questionamento semelhante:

"Vocês estavam indo bem na corrida; quem os impediu de seguir a verdade?" (Gl 5.7).

Nós podemos começar bem, mas o verdadeiro segredo para a conquista é a perseverança. É insistir até o fim. Por acaso você sabe quando o projeto será concluído? Enquanto ele não chegar ao fim, fique firme, persevere. Você me diz: "Ah, pastor, estou orando para Deus mudar a história da minha família". Eu pergunto: "Há quanto tempo?". E você responde: "Já oro há três dias e, até agora, nada". E você acha três dias muito!

Nós podemos começar bem, mas o verdadeiro segredo para a conquista é a perseverança. É insistir até o fim. Por acaso você sabe quando o projeto será concluído? Enquanto ele não chegar ao fim, fique firme, persevere.

Eu conheço gente que intercede há anos pela salvação de um familiar. Quando nos envolvemos, por exemplo, na intercessão por um filho que está longe dos caminhos do Senhor, o diabo sussurra em nossos ouvidos: "Pare de orar, nada vai acontecer". Ele quer nos fazer desistir, mas quem crê na promessa de Deus não abandona o barco.

Em uma igreja que pastoreei, havia uma senhora que sempre ia à frente orar no fim dos cultos. Eu pensava: "Essa mulher deve ter um pecado que não consegue abandonar de jeito nenhum, porque ela vem sempre ao altar, não importa o tema do sermão". Curioso, certa vez me aproximei dela e perguntei:

— Minha senhora, posso ajudá-la de alguma forma? Vejo a senhora em todos os cultos orando aqui na frente. Talvez eu possa orientá-la.

— Não, pastor, está tudo certo — ela respondeu.

— Então, por que a senhora vem sempre à frente?

— É porque eu assumi um compromisso com Deus de que, enquanto meu marido não for salvo, eu virei à frente em todo culto a fim de consagrar a vida do meu marido.

— A senhora faz isso há quanto tempo?

— Há mais de vinte anos.

Fiquei pensando em quantas orações essa mulher já havia feito. Tempos depois, eu a vi, sorridente, acompanhada de um senhor. Durante o culto daquela noite, ela participou efusivamente dos louvores e da pregação, com "améns" e "aleluias" em alta voz. Ao final da culto, ela veio até mim, dizendo: "Pastor, quero apresentá-lo ao meu esposo, por quem orei por mais de vinte anos, e aqui está ele: entregou sua vida a Cristo, e agora estamos juntos servindo ao Senhor". Esse é o resultado da confiança em Deus aliada à perseverança.

Se Deus disse que faria algo a seu favor, não pare de prosseguir e de ansiar até que isso aconteça. No caso de Jericó, de que adiantaria rodear a cidade três vezes, se Deus ordenou que fossem sete? A ação deve ser completa, como diz o autor de Hebreus: "Vocês precisam perseverar, a fim de que, depois de terem feito a vontade de Deus, recebam tudo que ele lhes prometeu" (Hb 10.36). Continue acreditando: seu filho virá à igreja, seu casamento será transformado, Deus enviará recursos para você estudar, seu ministério florescerá, ele abrirá as portas para você trabalhar na área que deseja. Continue, confie e persevere até o fim.

Adoração, e não murmuração

Durante todo o processo de conquista, mantenha uma atitude de adoração, e não de murmuração. Quando as coisas demoram a acontecer, é fácil começarmos a reclamar. Somos rápidos em expor toda a nossa insatisfação. Ninguém gosta de esperar. Alguns explodem de raiva diante de um atraso. É por isso que a tecnologia tem fabricado equipamentos cada vez mais rápidos. Vivemos a era *fast food*. O que você quer é chegar ao balcão, fazer o pedido e receber o lanche de imediato. Mas, quando demora, qual é a nossa reação? Murmuramos.

Devemos tomar o cuidado para que a murmuração não tome o lugar da adoração. Durante o processo em direção à margem do Jordão, quarenta anos se passaram. Paulo disse que uma das razões pelas quais parte do povo pereceu no deserto foi a murmuração: "E não se queixem como alguns deles se queixaram, e foram destruídos pelo anjo da morte" (1Co 10.10). Pare de reclamar. Tem gente que reclama de tudo. Se faz sol, é porque está muito quente. Se chove, é porque não faz sol. Vivem insatisfeitos e murmurando quanto a tudo na vida.

Diante de Jericó, Deus ordena que os sete sacerdotes toquem cada um a sua trombeta, *continuamente* (v. 8-9). Um dos comentaristas bíblicos que eu mais observo, Matthew Henry, diz que os sacerdotes tocavam a trombeta continuamente como um símbolo de adoração, mas também de afirmação para o povo de que Deus estava com ele. É o que Davi canta: "Tu, porém, és santo e estás entronizado sobre os louvores de Israel" (Sl 22.3). Quanto mais eu adoro a Deus, mais a sua presença divina é real; quanto mais eu murmuro, mais Deus se afasta. O Senhor habita em meio aos louvores do seu povo, e não em meio às murmurações dele.

Durante o processo da conquista, deixe de murmurar e comece a adorar, *continuamente*. Mesmo que, de início, não aconteça como esperava, adore ao Senhor. No primeiro dia, a trombeta tocou, *continuamente*. No segundo dia, *continuamente*. No terceiro dia, *continuamente*. Não era o sétimo ainda, mas em todo momento a atitude de adoração tomava conta do arraial do povo de Deus. Sabe como você vai mudar a sua história? Assumindo uma postura de adoração. Desenvolva um espírito adorador o tempo todo. "Louvarei o SENHOR em todo o tempo; meus lábios sempre o louvarão" (Sl 34.1).

Lembre-se da conversa de Jesus com aquela mulher à beira de um poço. A pergunta dela era: "Onde é o lugar que se deve adorar?". Jesus respondeu algo que poderíamos parafrasear desta forma: "Vocês estão preocupados com o lugar, quando Deus na realidade está preocupado com a essência. Ele está à procura de verdadeiros adoradores, que o adorem em espírito e em verdade". A adoração não acontece somente nos momentos de culto, quando eu canto e levanto as mãos. Tudo o que eu faço é para o louvor da glória de Deus. É como Paulo afirma: "Portanto, quer vocês comam, quer bebam, quer façam qualquer outra coisa, façam para a glória de Deus" (1Co 10.31). Até na hora da refeição, você pode se alimentar glorificando a Deus. O processo de conquista é tão importante quanto a conquista em si.

Sabe como você vai mudar a sua história? Assumindo uma postura de adoração. Desenvolva um espírito adorador o tempo todo.

"Quando o povo ouviu o som das trombetas, gritou com toda a força. De repente, o muro de Jericó veio abaixo. O povo atacou a cidade, cada um do ponto onde estava, e a tomou" (Js 6.20). A sequência dos fatos mostra que os israelitas tomaram a cidade, que foi completamente destruída, e os inimigos foram definitivamente derrotados. Lembre-se de que era uma cidade fortificada, aparentemente impossível de ser conquistada. Mas, sob a orientação de alguns princípios, aquilo que parecia ser impossível se torna real na vida de um povo.

Escolha adorar, guarde a santidade e, em todo tempo, persevere. Deus irá ajudá-lo. Na hora certa, a sua bênção chegará, de acordo com a vontade soberana de Deus. Se o Espírito Santo de Deus falou ao seu coração enquanto lia este capítulo, creia que os planos de Deus para sua vida se cumprirão. Tome as atitudes necessárias e confie que o Espírito Santo vai resgatar o ânimo que você perdeu diante da demora, das dificuldades e dos sofrimentos. Deus lhe diz para ficar firme e guardar seu coração, em adoração. Ao ouvir a voz do Espírito, não endureça o seu coração. Não se assuste pela dificuldade. Acredite. Nada é impossível para Deus.

6

Fé que reinventa caminhos

Dias depois, quando Jesus retornou a Cafarnaum, a notícia de que ele tinha voltado se espalhou rapidamente. Em pouco tempo, a casa onde estava hospedado ficou tão cheia que não havia lugar nem do lado de fora da porta. Enquanto ele anunciava a palavra de Deus, quatro homens vieram carregando um paralítico numa maca. Por causa da multidão, não tinham como levá-lo até Jesus. Então abriram um buraco no teto, acima de onde Jesus estava. Em seguida, baixaram o homem na maca, bem na frente dele. Ao ver a fé que eles tinham, Jesus disse ao paralítico: "Filho, seus pecados estão perdoados".

Alguns dos mestres da lei que estavam ali sentados pensaram: "O que ele está dizendo?

Isso é blasfêmia! Somente Deus pode perdoar pecados!".

Jesus logo percebeu o que eles estavam pensando e perguntou: "Por que vocês questionam essas coisas em seu coração? O que é mais fácil dizer ao paralítico: 'Seus pecados estão perdoados' ou 'Levante-se, pegue sua maca e ande'? Mas eu lhes mostrarei que o Filho do Homem tem autoridade na terra para perdoar pecados". Então disse ao paralítico: "Levante-se, pegue sua maca e vá para casa".

O homem se levantou de um salto, pegou sua maca e saiu andando diante de todos. A multidão ficou admirada e louvava a Deus, exclamando: "Nunca vimos nada igual!".

MARCOS 2.1-12

Um dos aspectos mais marcantes do ministério de Jesus é o fato de que milagres faziam parte da sua rotina. As pessoas que tinham dificuldades e estavam presas às suas limitações eram atraídas por sua graça e bondade ao ouvir falar do seu poder e das coisas extraordinárias que Cristo havia feito na vida de outras pessoas. Em qualquer lugar por onde Jesus passava, ele era cercado por multidões que o acompanhavam. As pessoas esperavam receber do Filho de Deus, pelo menos, uma palavra ou um toque para que pudessem escapar das algemas que as prendiam.

Os Evangelhos são ricos em narrativas de milagres, relatados em histórias de pessoas que foram libertas de flagelos e muitas outras limitações. Há um Deus capaz de suprir em Cristo cada uma das nossas necessidades, sejam elas de ordem espiritual, física ou mesmo financeira.

Você já chegou ao seu limite e, mesmo assim, não conseguiu superar as dificuldades? Você está estagnado na luta? Enquanto escrevo este livro, as manchetes de jornal e os *sites* de notícias nos informam os números negativos da economia de nosso país. O desemprego é crescente e vivemos incertezas políticas e a carência (ausência) de estadistas confiáveis. O desespero toma conta daqueles que veem os problemas se multiplicarem diariamente. As limitações são grandes, as dificuldades são inúmeras, mas o meu desejo é que o Espírito de Deus conduza cada leitor a entender que nada é impossível para aquele que crê (Mc 9.23). Creia que, por mais que sejam grandes, as suas limitações não são maiores que Deus. Você pode, sim, experimentar o mesmo amor que Jesus demonstrou àquele homem paralítico, se tão somente inventar novos caminhos.

O episódio descrito em Marcos 2.1-12 nos ensina princípios importantes para que possamos vencer alguns obstáculos e superar os nossos limites. O texto diz que Jesus seguiu novamente para a cidade de Cafarnaum. O Mestre exercia um ministério itinerante, mas sempre voltava para aquela região específica. Cafarnaum era sua base ministerial. Ali encontrava abrigo e descanso na companhia de amigos e discípulos. Por conta da fama e da popularidade que já tinha alcançado, eram poucos os lugares a que Jesus conseguia ir sem ser reconhecido.

Quando Jesus chegou em Cafarnaum, não demorou muito para que ele entrasse na casa em que ficaria hospedado. Também foi rápida a propagação da notícia de que ele estava lá. Logo uma multidão se dirigiu até ali para encontrar-se com Cristo — era gente necessitada, que precisava de socorro e, por isso, não perdeu a oportunidade de vê-lo.

Aprendemos com esse episódio que uma das maneiras de romper com nossas limitações é estarmos atentos às oportunidades do dia a dia. Quem sabe se não falta apenas uma única oportunidade para mudar sua realidade? Uma única oportunidade! Quem sabe não é exatamente no meio das nossas crises e de nossos problemas que as maiores chances vão surgir? Você precisa ficar atento.

Mantenha seus ouvidos abertos e seus olhos em vigilância. Não deixe a "síndrome de Gideão" tomar conta da sua vida, dizendo coisas como:

"A minha família é a mais pobre, eu sou o menor da casa do meu pai, pobre de mim...". Nada disso. Fique atento e aproveite as oportunidades.

Quem sabe não é exatamente no meio das nossas crises e de nossos problemas que as maiores chances vão surgir? Você precisa ficar atento.

Você precisa estar atento. As oportunidades para você vencer os seus limites e romper com as questões que bloqueiam sua vida estão por aí. Sempre há chances de escolha: de enfrentar o dia, e não permanecer na cama; de insistir, e não desistir; de vencer, e não perder; de acreditar, e não desconfiar.

Tenha ao seu lado pessoas de fé

No meio de uma multidão, a ponto de não haver espaço para passar pela porta, quatro homens carregavam um paralítico (v. 3). Todo processo de conquista é cercado de desafios e obstáculos. Assim como não havia espaço para eles entrarem na casa, não espere um caminho fácil na subida para um alto cume. Não é necessário apenas identificar as oportunidades; você também precisa aprender a cercar-se de pessoas que acreditam na possibilidade de você obter grandes conquistas pela graça de Deus. Este é um dos segredos para superar limites e romper as barreiras que eu tenho aprendido ao longo dos anos: a companhia na jornada faz toda a diferença.

Se as pessoas que o cercam pensam pequeno, têm uma mentalidade medíocre, você nunca romperá com suas limitações. A companhia na trajetória é tão importante quanto o sonho do seu coração. Se você aprendeu a voar mais alto, foi com gente que já estava mais alto que você. Não tenho vergonha de andar com pessoas que já estão numa altura mais elevada que eu; o que quero é aprender como elas a como chegar à mesma altura que elas. Muitas vezes, quando parece não haver caminhos para obter grandes conquistas, são os amigos que nos mostram como inventar novos caminhos.

O que me chama a atenção no relato do paralítico de Cafarnaum é que muito provavelmente os amigos daquele homem acreditavam no milagre mais do que ele mesmo. Afinal, se não fosse assim, por que eles teriam aquele trabalho todo para levá-lo até Jesus? Ande com pessoas que sonham não apenas o seu sonho, mas até mais sonhos maiores que o seu. Quando comecei a sonhar com a plantação da igreja que pastoreio, uma das minhas primeiras ações foi convidar outros para me ajudar. Eu tenho ideias malucas, mas precisava de alguém para colocá-las em prática, para administrar bem o projeto. Os frutos do trabalho não são apenas meus; são de muita gente que arregaçou as mangas para que acontecesse. Quando Deus nos chama para realizar coisas extraordinárias, ele nos cerca de pessoas fora do comum. Posso dizer que tenho amigos que me ajudaram a carregar o leito até a presença do Deus que pode realizar feitos extraordinários.

Cerque-se de pessoas que o ajudem a crer que, diante das suas limitações, Deus pode abençoá-lo. Será que não está na hora de você revisar sua lista de amigos? Se sua vida não está indo para a frente, já avaliou a possibilidade de você estar sendo mal acompanhado ou mal aconselhado? Você sonha e vem alguém dizer que é bobagem. "Começar uma igreja ali? Loucura!" Você precisa de amigos que acreditem que, com esforço, cooperação e fé, Deus poderá abençoá-lo em seus projetos.

Os quatro amigos do paralítico o ajudaram, literalmente, a carregar suas lutas e dificuldades. Durante a jornada, precisamos de gente que nos carregue quando não temos condições de andar sozinhos. Ouvi certa vez a seguinte frase, que tenho adotado e posto em prática desde então: "Mais importante que a viagem é a companhia". Quando você faz uma viagem mal acompanhado, pode ser até para Paris, mas não será boa. O colega só reclama e põe defeito em tudo. Você está ansioso para ver a Torre Eiffel, chega lá, faz a foto e... "Ah, isso parece um monte de ferro; é menor do que eu pensava". Não! Boa é a viagem com quem celebra junto, que caminha com você e que, em situações difíceis ao longo da jornada, diz que está com você e o encoraja a seguir em frente.

Não se surpreenda: haverá dificuldades

Para alcançar seus sonhos, você precisa identificar as oportunidades, cercar-se das pessoas certas e saber que haverá dificuldades. Aquele grupo de amigos do paralítico já estava na mesma casa que Jesus, o que poderia levar a supor que não demoraria muito para chegar até ele, mas, como Marcos diz, "por causa da multidão, não tinham como levá-lo até Jesus" (2.4). Haverá coisas que você tentará, mas não conseguirá, que precisará se esforçar ainda mais para conseguir. No entanto, a dificuldade é que vai testar a intensidade do seu sonho, porque, quando você realmente sonha, não é qualquer problema que o fará desanimar. Aqueles homens encontraram uma grande dificuldade: uma multidão, também à procura de Jesus, impedia o acesso à porta de entrada da casa.

Para tudo o que vale a pena, a disputa é intensa. Ninguém quer o que ninguém quer. As universidades de ponta são as mais disputadas, os melhores empregos são os mais concorridos. Mas, para você vencer a concorrência, será necessário tomar atitudes que os outros não estão dispostos a tomar. Ninguém chega a lugar algum caindo de paraquedas, sem esforço. Não há passe de mágica. Toda jornada de sucesso é feita de desafios e obstáculos. Se já lhe disseram para jogar tudo para o alto, que não vale a pena insistir, porque há muitos outros na disputa, você precisa lembrar-se de que as dificuldades são importantes para que você mostre quanto realmente deseja o que busca. É assim que funciona.

Se já lhe disseram para jogar tudo para o alto, que não vale a pena insistir, porque há muitos outros na disputa, você precisa lembrar-se de que as dificuldades são importantes para que você mostre quanto realmente deseja o que busca.

Os meus primeiros livros foram escritos muito tempo antes de serem publicados por uma editora. Eu acreditei num sonho e lutei para que acontecesse, porque ninguém chegará a lugar algum sem esforço. Eu mesmo financiei minhas primeiras publicações. Economizei, me esforcei e paguei o preço. Saiba que você vai enfrentar dificuldades e deparará com sabotadores de sonhos pelo caminho. Se não souber usar caminhos alternativos para desviar desses sabotadores, sua conquista será muito mais difícil

O texto diz que, quando o paralítico e seus amigos chegaram à casa em que Jesus estava hospedado, não conseguiram entrar por causa da multidão que ocupava todo o espaço disponível. Perceba como eram grandes as dificuldades. O mesmo acontece conosco: se encontramos apenas facilidades em nossas escolhas, desconfiemos, pois pode ser uma fuga do caminho certo. A existência de dificuldades nos aponta, com muita frequência, o caminho das escolhas certas. Está difícil? Continue lutando. Vale a pena. "... a casa onde estava hospedado ficou tão cheia que não havia lugar nem do lado de fora da porta" porque todos queriam estar na presença de Jesus.

Seja criativo

Quando as dificuldades surgirem, seja criativo. Aliás, essa é uma das grandes virtudes do nosso povo brasileiro, uma criatividade inigualável. Durante as epidemias da dengue, chikungunya e zika, causadas pelo mosquito *Aedes aegypti* em 2015 e 2016, parávamos nos sinais de trânsito da cidade e logo se aproximavam vendedores com aquela raquete elétrica para matar mosquitos. Para minha surpresa, vi que um vendedor havia colocado dentro das suas raquetes uma luz que atraía mosquitos. Que homem criativo! Isso diferenciava o produto dele da concorrência e, assim, ele vencia esse obstáculo.

Quando os amigos do paralítico viram que não conseguiriam mesmo entrar na casa, eles elaboraram uma logística complicada, reinventaram o caminho para chegar até o Mestre, mas que poderia dar certo: subir até o telhado, fazer uma abertura entre as telhas e descer o amigo até o local exato em que Jesus estava. Certamente, aquilo deu trabalho, mas a criatividade os ajudou a solucionar o problema. Fico imaginando os quatro subindo com o paralítico no telhado. Que dificuldade! Que força de vontade! Que persistência! Eles não queriam voltar atrás na decisão, afinal não há recompensa para quem desiste e retorna para casa. Eles precisavam arranjar um jeito de chegar até Jesus. Fica a lição: se não dá para fazer do modo convencional, use a criatividade e tente de outro jeito. Então eles decidiram ser criativos e subiram no telhado.

Praticamente todo problema tem solução. Talvez não aquela que você está querendo, mas há outra. Para todo "plano A", você precisa ter um "plano B". Se o "B" não funcionar, aproveite o "C", e assim por diante. Existem muitos planos mais do que você imagina. Dá para se reinventar. Entenda: vai dar certo, de um jeito ou de outro. Procure saídas, busque alternativas. Creia que Deus vai ajudá-lo.

Ele lhe deu um cérebro para que você o use. Utilize-o, pense. Pensar não faz mal para a saúde. Pelo contrário, a recomendação bíblica é que você precisa colocar a massa cinzenta em funcionamento. Deus lhe deu todo o potencial para ajudá-lo a vencer seus obstáculos. Todas as saídas de que você precisa já existem, e o Espírito Santo é responsável por ativá-las em você. Deus quer agir na vida de quem, de fato, está interessado.

Deus lhe deu todo o potencial para ajudá-lo a vencer seus obstáculos. Todas as saídas de que você precisa já existem, e o Espírito Santo é responsável por ativá-las em você.

O que chama a minha atenção nos quatro amigos do paralítico é que, mesmo diante da dificuldade, eles não retrocederam. Muito pelo contrário, refletiram e encontraram um meio de superar os limites para alcançar uma grande conquista para seu amigo. E você, também tem feito isso? Os quatro subiram no telhado. Imagine a cena! Jesus no interior da casa, falando para a multidão, anunciando o reino de Deus, as pessoas emocionadas e, de repente, ouve-se um barulho no telhado. Seguiu-se toda aquela cena.

Que pensamentos terão passado pela cabeça daquele paralítico? E como os seus amigos esperavam que Jesus reagisse? Será que ele os rejeitaria? Ficaria irritado com a invasão? O fato é que eles abriram um buraco no teto e entraram na casa. Um buraco certamente grande, por onde desse para passar um homem adulto. Considerando a maca, que deveria ter aproximadamente 2 metros, o trabalho deve ter sido realmente árduo. Não pense, portanto, que foi fácil entrar daquela forma inusitada. Existia, inclusive, o risco de cair um pedaço de madeira ou uma telha ou algo semelhante na cabeça de Jesus e dos outros, de o paralítico despencar... enfim, foi uma atitude difícil e arriscada.

Esse episódio também nos mostra que devemos parar de dar atenção àquilo que pensam negativamente de nós enquanto estamos ocupados em busca da solução para nosso problema. Se forem conselhos úteis, abrace-os, mas, se forem críticas destrutivas e infundadas, ignore-as. Não podemos nos preocupar com tudo o que vão falar de nós. Muitos deixam de se dispor porque têm vergonha do que os outros vão pensar deles. Quem precisa de uma grande conquista, faz barulho, deixa cair barro ou telhas.

Ouvir as pessoas certas o fará avançar nos seus propósitos, mas, enquanto você continuar ouvindo as pessoas erradas, permanecerá no mesmo lugar ou até mesmo retrocederá. É importantíssimo saber escolher com quem você anda, pois certamente a influência que você recebe determinará a qualidade daquilo que pretende alcançar.

Às vezes, o que nos falta é apenas mais esforço. O que Deus pode fazer em sua vida se tão somente você se esforçar tem potencial para ser algo tão grande que as pessoas que o acompanham e caminham perto de você dirão: "Eu jamais vi um negócio desses". O que você não pode é terminar esta leitura dizendo que "está tudo acabado". Deus tem graça para derramar sobre a sua vida. O que Deus é capaz de fazer pode surpreendê-lo. Os novos caminhos que ele pode ajudar você a encontrar rumo às grandes conquistas serão extraordinários. Prepare-se. Creia. Tenha fé.

7

Fé perseverante

Certo sábado, quando Jesus ensinava numa sinagoga, apareceu uma mulher enferma por causa de um espírito impuro. Andava encurvada havia dezoito anos e não conseguia se endireitar. Ao vê-la, Jesus a chamou para perto e disse: "Mulher, você está curada de sua doença!". Então ele a tocou e, no mesmo instante, ela conseguiu se endireitar e começou a louvar a Deus.

O chefe da sinagoga ficou indignado porque Jesus a tinha curado no sábado. "Há seis dias na semana para trabalhar", disse ele à multidão. "Venham nesses dias para serem curados, e não no sábado".

O Senhor, porém, respondeu: "Hipócritas! Todos vocês trabalham no sábado! Acaso não desamarram no sábado o boi ou o jumento do estábulo e o levam dali para lhe dar água? Esta mulher, uma filha de Abraão, foi mantida presa por Satanás durante dezoito anos. Não deveria ela ser liberta, mesmo que seja no sábado?".

As palavras de Jesus envergonharam seus adversários, mas todo o povo se alegrava com as coisas maravilhosas que ele fazia.

LUCAS 13.10-17

Jesus tinha um ministério itinerante. Ele pregava nas ruas, mas isso não o impedia de ir às sinagogas. Como bom judeu que era, procurava nas cidades por onde passava uma sinagoga – principalmente, no sábado, dia da semana reservado pelo judaísmo para cultuar e adorar a Deus.

Jesus é o nosso modelo em todas as coisas. O apóstolo Paulo escreveu: "Sejam meus imitadores, como eu sou imitador de Cristo" (1Co 11.1). Como Mestre que era, Jesus não teve medo de se apresentar aos discípulos como referência de vida. Estar na sinagoga ou no templo era um costume dele desde a infância (Lc 2.41-52). No episódio em que o Senhor depara com uma mulher adoentada por um espírito imundo, ele estava em uma sinagoga no sábado.

Há algo de especial no local onde as pessoas se reúnem para adorar a Deus. Na reunião dos crentes, há uma atmosfera diferente, pois, nesse contexto, os fiéis se abrem mais facilmente para a presença do Pai, deixando de lado os afazeres e os pensamentos que os distraem, e se tornam mais sensíveis à ação sobrenatural de Deus. Eu fui criado com o saudável hábito de estar na igreja todos os domingos. Sendo filho de pastor, o ambiente eclesiástico se tornou muito familiar e habitual. Mesmo frequentando assiduamente a igreja, eu sempre percebi um ambiente diferente nas reuniões. Não era apenas um ajuntamento de pessoas; havia uma presença espiritual distinta.

Quando Jesus chega à sinagoga, ele encontra uma mulher. Nas sinagogas, o lugar das mulheres era o fundo, pois não poderiam sentar-se nos lugares reservados aos homens. Não bastasse elas serem relegadas às últimas fileiras, também ficavam separadas dos homens por um tipo de véu. Isso nos leva a crer, com segurança, que aquela mulher estava no fundo do recinto.

Chama a minha atenção nesse relato o fato de que as dificuldades daquela senhora eram sérias e já duravam dezoito anos, mas, mesmo assim, ela não desistia de ir ao local onde se cultuava o Senhor. Imagino as pessoas vendo sua situação física e levantando suspeitas de que, por causa da doença, ela só poderia estar em pecado, uma crença comum na época. Mas, se enxergamos o coração daquela mulher com outros olhos, vemos sua incrível disposição em não desistir. Eu gosto de gente assim, que persevera em buscar a presença de Deus. Por quase duas décadas lutando e esperando, aquela mulher não permitiu que as lutas e o sofrimento roubassem do seu coração a vívida esperança de que, a qualquer momento, algo sobrenatural pudesse lhe acontecer.

Temos de aprender com aquela mulher. Não podemos desistir. Precisamos continuar buscando o Senhor. Eu costumo descobrir a intensidade da necessidade de alguém pela quantidade de esforço que ele está disposto a fazer para buscar na presença de Deus a solução. Se você não está disposto a perseverar na fé, isso demonstra que não sente necessidade de estar junto ao Senhor e adorá-lo. Costumo dizer que o necessitado clama, o aflito busca e o desesperado grita — e fazem bem! Pois creio que a bênção vem para aquele que persevera. Como escreveu o autor de Hebreus: "Vocês precisam perseverar, a fim de que, depois de terem feito a vontade de Deus, recebam tudo que ele lhes prometeu" (Hb 10.36).

Se desistimos no meio do caminho, nada vai mudar. A mulher buscava a Deus, mesmo sofrendo, por dezoito anos, o incômodo e as dores do corpo encurvado. Eu leio esse episódio e gosto de pensar que a expectativa daquela senhora, em vez de diminuir, crescia a cada ano. Isso porque, se ela de fato clamava a Deus em uma atitude sincera de adoração, sua esperança era renovada, a despeito de todas as circunstâncias externas. "Quem deseja se aproximar de Deus deve crer que ele existe e que recompensa aqueles que o buscam" (Hb 11.6). Quando a Palavra de Deus faz morada em nós, algo em nosso coração nos desperta para a expectativa da ação do Senhor, porque nossa fé torna-se perseverante.

Costumo dizer que o necessitado clama, o aflito busca e o desesperado grita – e fazem bem! Pois creio que a bênção vem para aquele que persevera.

Aquela mulher está no templo, mas passa despercebida pela maioria das pessoas. É duro dizer, mas a verdade é que, às vezes, nosso sofrimento não interessa aos outros. Muitas pessoas não conhecem a dimensão da nossa luta. Mesmo um pastor tem dificuldade de saber tudo o que se passa no coração dos membros de sua igreja, pois nosso conhecimento é limitado, bloqueado por maquiagens da alma. As pessoas frequentemente sorriem quando o coração está triste e escondem suas lágrimas.

Aquela mulher devia frequentar a sinagoga havia anos, mas seu problema não encontrava solução.

Possivelmente, quem a conhecia já não dedicava muito tempo a pensar sobre o sofrimento dela, de tão acostumado que estava com a sua condição, aparentemente incurável. Você já se sentiu assim? Sozinho no meio da multidão? A pior solidão que enfrentamos é quando, mesmo cercados de pessoas, nos encontramos sós. Frequentar a igreja há anos, sofrendo continuamente por dentro, sem nenhuma pessoa que veja sua dor interna. Nessas horas, precisamos de um toque amigo no ombro e um abraço de um irmão que diga: "Estou com você nessa luta". Porém, frequentemente nos sentimos sozinhos e ignorados, mesmo no meio do povo de Deus. Um sorriso pode esconder e disfarçar muitas dores. Muitos acham que conhecem os outros, mas a realidade é que não sabem o que se passa em seu coração — de fato, só Deus nos conhece completa e profundamente. Por essa razão, não podemos escorar nossa fé nos outros ela depende grandemente de nossa perseverança.

Jesus nos enxerga e nos conhece

Devemos persistir na confiança que temos em que, na hora certa, Deus olhará para nós a fim de acabar com nosso sofrimento. Que bom é saber que Deus consegue enxergar a dor que ninguém vê. Aquela mulher certamente não acordou naquele dia sabendo que seria curada e, possivelmente, se dirigiu à sinagoga crendo que aquela seria apenas mais uma entre tantas reuniões de culto a Deus. Porém, o próprio cabeça da Igreja, aquele que tem o governo e o poder de todas as coisas em suas mãos, estava presente. Jesus estava lá e, quando ele se faz presente, tudo muda.

Cristo entra em cena e vê aquela mulher. Seu olhar enxerga o que ninguém vê. Ele vê a dor prolongada, as feridas ocultas e as lágrimas escondidas. Do mesmo modo, Jesus sabe há quanto tempo você está sofrendo e quantas lágrimas já derramou. Aliás, a Bíblia diz que Deus as recolhe no seu odre: "Conheces bem todas as minhas angústias; recolheste minhas lágrimas num jarro e em teu livro registraste cada uma delas" (Sl 56.8). Aquilo que você acha que ninguém vê, o Criador nota. E ele percebeu aquela mulher.

Você não é ignorado por Cristo. Os olhos do Senhor estão sobre toda a terra (Pv 15.3). Ele o vê aqui e agora, e enxerga o que ninguém consegue. Se há algo no coração de Cristo, é sua incapacidade de ficar alheio e inerte ao sofrimento dos seus amados. Ele intervém. Jesus não é como nós, que frequentemente vemos a necessidade do próximo, mas lhe viramos o rosto. Às vezes, fingimos que não é conosco, como quando levantamos o vidro do carro diante do pedido de um necessitado em um sinal de trânsito. Jesus não "levanta o vidro" para ninguém; ele abre a porta. O Senhor vê a dor de seus amados e se compadece, pois a misericórdia é parte da sua essência.

O texto de Lucas diz que, logo que percebeu a presença daquela mulher, Jesus a chamou. Como é bom saber que o Criador do Universo nos enxerga e nos chama! Quando somos crianças, não há nada melhor do que ouvir nossos pais nos chamando, com carinho. Certa vez, minha filha mais velha me disse: "Pai, sabe qual é o jeito que você me chama que mais alegra o meu coração?". Eu perguntei: "Qual?". E ela respondeu: "De 'minha filha'. Isso me dá uma sensação de pertencer, de ser de alguém. É gostoso também quando o senhor me chama de 'Laura' ou de 'filhinha', mas, quando me chama de 'minha filha', eu sei que não estou entregue ao destino. Pelo contrário, eu pertenço a alguém, que cuida de mim". Se um pai consegue alegrar o coração de uma filha assim, imagine quando Jesus chama o seu nome? Sim, porque ele conhece você pelo nome. Ele o chama, assim como chamou aquela mulher na sinagoga.

O Senhor vê a dor de seus amados e se compadece, pois a misericórdia é parte da sua essência.

Quando Jesus nos chama, não é só para bater um papo e colocar a conversa em dia. O relato bíblico nos mostra que, frequentemente, Deus chama alguém e muda totalmente a sua história. Ele chamou Abraão, Moisés, Pedro, Paulo e tantos outros que tiveram seu destino completamente transformado. Se Jesus o chama pelo nome, é porque ele tem algo em particular para tratar com você.

Lembra-se de Zaqueu, o coletor de impostos que Jesus chamou de cima de uma árvore (Lc 19)? Jesus não olhou para ele e disse: "Ô da árvore, ô baixinho!". Não! Seu chamado é respeitoso, acolhedor e personalizado: "Zaqueu, desça depressa! Hoje devo hospedar-me em sua casa".

Jesus deseja proximidade

Jesus deseja ter um relacionamento de proximidade com você. A Bíblia diz que ele chamou aquela mulher encurvada "para perto". Não importava que ela estivesse no fundo do recinto, Jesus a enxergava e queria que ela superasse todos os limites para se aproximar dele.

Você já tentou namorar a distância? Não são muitos os casos desse tipo que dão certo, porque uma relação não se aprofunda sem o encontro pessoal, olho a olho, dia a dia, em situações de tristeza, estresse ou alegria. Quando eu e minha esposa começamos a namorar, morávamos perto um do outro, e logo criei uma estratégia: ir cedo à casa dela, sem avisar. Eu já chegava dizendo: "Vim lhe dar 'bom dia' antes de ir para o trabalho". Ela respondia: "Ainda não deu tempo de eu me arrumar". E eu pensava: "Esse é o plano". A verdade é que eu queria vê-la do jeito como se vestia naturalmente. Ela descia e eu me alegrava, pois via que ela é linda mesmo sem maquiagem.

A primeira coisa que Jesus fala quando identifica nossa dor é: "Venham a mim..." (Mt 11.28). Ele nos atrai até ele. Não devemos ordenar que ele venha até nós, como alguns acham. Jesus é que ecoa a voz do chamado e não nos abandona: "Contudo, aqueles que o Pai me dá virão a mim, e eu jamais os rejeitarei" (Jo 6.37). É quando você se aproxima de Jesus que começa a receber suas bênçãos. Aquela mulher chegou perto, com todo o esforço necessário para isso, porque, até mesmo para nos aproximarmos de Jesus, precisamos tomar uma atitude, como fez aquela mulher. Ela chegou perto de Jesus e ele fez o milagre: "Mulher, você está curada de sua doença!" (Lc 13.12). Em outras palavras: "Você está livre!". A presença de Jesus produz libertação.

Muitos querem outra coisa que não a presença de Jesus, mas nós precisamos mesmo é do toque transformador de Cristo. É disto que precisamos: de um toque. Não precisamos de um carro novo ou de um milagre extraordinário. Você precisa sentir o toque maravilhoso de Jesus, porque, quando ele nos toca, somos totalmente transformados.

Quando preguei pela primeira vez um sermão baseado na história daquela mulher encurvada, tive o cuidado de perguntar a um fisioterapeuta que congregava em nossa igreja: "É possível alguém que, por dezoito anos permaneceu em uma posição encurvada, recuperar sua mobilidade plena em um abrir e fechar de olhos?". Ele respondeu: "Aos olhos da medicina, é impossível". Certa vez, quebrei um braço andando de bicicleta. Tive de passar por uma cirurgia, na qual os médicos implantaram parafusos, pinos e placas em meu osso. Fiquei com o braço engessado por 45 dias. Quando, finalmente, aquela proteção foi retirada, eu não conseguia movimentar o braço. O fisioterapeuta esclareceu que eu ainda precisaria fazer sessões de fisioterapia para, após algumas semanas, recuperar os movimentos. Isso é o que acontece quando não há uma interferência direta de Cristo. Porém, Jesus rompe com o curso natural das coisas; ele se aproxima e, com isso, nos faz superar os limites e suplantar a lógica das coisas. Por essa razão, você precisa crer que, não importa o que esteja acontecendo, o que é necessário em sua vida é o toque de Cristo. Quando ele toca em alguém, o sobrenatural acontece.

Você precisa acreditar que o toque de Cristo em sua vida muda tudo. Quanto mais eu ouço a Palavra de Deus, mas ela produz efeitos práticos em minha vida. Jesus disse: "Filha, você está curada", e ela pôs-se a andar perfeitamente. Quando Jesus age, a obra é completa, pois ele é perfeito.

Adversários envergonhados

Quando aquela mulher foi curada, ocorreu uma reação inesperada: os religiosos, capitaneados pelo chefe da sinagoga, criticaram Jesus pelo que ele havia feito. Infelizmente, há pessoas na comunidade que preferem nos ver sofrendo do que felizes, pois o sofrimento do outro é, cruelmente, um amparo para sua própria jornada. O chefe da sinagoga ficou indignado porque Jesus tinha curado aquela mulher no sábado.

Aprenda esta lição: sempre haverá críticos por perto. Algumas pessoas vão celebrar nossas vitórias, mas outras vão lamentá-las. A posição do chefe da sinagoga é a dos hipócritas. Aquele religioso sabia que a mulher encurvada frequentava a congregação havia anos e nada fez por ela, mas, quando Jesus a curou, ele se sentiu com autoridade para criticá-lo. Como é bom saber que Jesus não é refém das opiniões dos outros! Ele faz o que quer e como quer. O maior erro do chefe da sinagoga foi não perceber que o autor da fé havia chegado. Quando Deus entra em cena, ele não deve explicações a ninguém, porque é o Senhor de tudo.

O texto termina dizendo: "As palavras de Jesus envergonharam seus adversários" (v. 17). Do mesmo modo que foi com aqueles homens, o diabo passa vergonha na presença de Jesus. Ele não se cansa de apanhar. Paulo disse aos irmãos de Colossos: "Desse modo, desarmou os governantes e as autoridades espirituais e os envergonhou publicamente ao vencê-los na cruz" (Cl 2.15). O Senhor triunfou sobre todo principado e potestade no Calvário. Ele cravou todo escrito de dívida e ordenança que constava sobre nós e expôs cada um deles ao escárnio. Não devemos viver envergonhados, porque Jesus já fez o necessário por nós. Quem deve se envergonhar é Satanás.

> *O maior erro do chefe da sinagoga foi não perceber que o autor da fé havia chegado. Quando Deus entra em cena, ele não deve explicações a ninguém, porque é o Senhor de tudo.*

Em contraste com os opositores de Cristo, o povo se alegrou. Como é bom saber que existem pessoas que se alegram com as nossas conquistas! O texto diz que as pessoas estavam alegres por causa das "coisas maravilhosas que ele fazia". A vida com Cristo é cheia de bênçãos. É por isso que a Bíblia afirma: "O caminho dos justos é como a primeira luz do amanhecer, que brilha cada vez mais até o dia pleno clarear" (Pv 4.18). Percebe como é o movimento do justo? Brilha cada vez mais, até chegar o dia perfeito. Até a eternidade, a jornada do justo será de boas-novas com Cristo.

Existem muitas pessoas que, mesmo andando com Deus, estão encurvadas, porque andar encurvado também significa viver uma vida fora do prumo, sem santidade, sem compromisso. Deus deseja uma geração restaurada, curada e reta. Qual é a dimensão da sua dor? Do que você precisa? Eu não sei, mas Deus sabe. Aquele que conhece e sonda os pensamentos, que sabe qual é o mais profundo segredo do coração do homem, enxerga tudo. Ele vê você. Assim como ele esteve naquela sinagoga, está com você neste momento. Ao chegar, ele o procura, o encontra e o chama. Aproxime-se dele, cada dia mais.

Como a luz da aurora

Lucas registrou em seu Evangelho uma parábola que reforça a importância de uma fé persistente:

> Jesus contou a seus discípulos uma parábola para mostrar-lhes que deviam orar sempre e nunca desanimar. Disse ele: "Havia numa cidade um juiz

que não temia a Deus nem se importava com as pessoas. Uma viúva daquela cidade vinha a ele com frequência e dizia: 'Faça-me justiça contra meu adversário'. Por algum tempo, o juiz não lhe deu atenção, mas, por fim, disse a si mesmo: 'Não temo a Deus e não me importo com as pessoas, mas essa viúva está me irritando. Vou lhe fazer justiça, pois assim deixará de me importunar'".

Então o Senhor disse: "Aprendam uma lição com o juiz injusto. Acaso Deus não fará justiça a seus escolhidos que clamam a ele dia e noite? Continuará a adiar sua resposta? Eu afirmo que ele lhes fará justiça, e rápido! Mas, quando o Filho do Homem voltar, quantas pessoas com fé ele encontrará na terra?".

Lucas 18.1-8

Essa parábola é rica em princípios que nos ajudam a alcançar grandes conquistas. Todo mundo, em algum momento da vida, já pensou em desistir, principalmente quando a intensidade da luta é grande. Às vezes, temos motivação para começar uma batalha, mas nem sempre armazenamos forças suficientes para enfrentá-la até o fim. Encaramos momentos difíceis e, quando demoram a passar, nossas fortalezas se enfraquecem. Enfrentamos crises no casamento por um período, mas, dependendo da extensão do problema, tendemos a desistir, a "jogar tudo para o alto", a achar que aquela união não vale mais a pena.

A maioria das pessoas não vive a plenitude do seu sonho, não por falta de forças, mas porque desistiu. Desistiu de um sonho, de um projeto, da família e até mesmo da fé e da igreja. Eu mesmo já pensei em desistir, sei como é. Batemos na porta, insistimos, oramos, buscamos, acreditamos que as coisas vão mudar, mas o tempo continua passando e não vemos nada de diferente acontecer; sendo assim, é natural que o desânimo ganhe força dentro de nós.

Essa parábola fala de uma viúva (e viuvez naquela época era praticamente uma sentença de miséria). Mas não era uma viúva qualquer: tratava-se de uma mulher com fé persistente, perseverante, cuja história mostra que não há bênção para quem desiste. Aquela mulher, ao que parece, não tinha escolha; ela precisava ir até o juiz e pedir que julgasse a sua causa de forma justa. Ela não estava pedindo nada de errado, não queria que o juiz manipulasse a questão, apenas que julgasse com correção. Essa parábola nos ensina que devemos persistir, buscar a justiça e orar apaixonadamente

Persista

Quem insiste, alcança. Quem não desanima, chega lá. Quem muito bate, grita e clama, é ouvido. Há inúmeras histórias assim. Quando demos início à Comunidade da Esperança, em Campinas, não foram poucas as vezes em que ouvi das pessoas que o lugar onde estávamos iniciando o trabalho era escondido, que, ali, igreja nenhuma conseguiria florescer. Confesso que questionei minhas motivações e a direção de Deus, por começar a dar ouvidos à voz dos opositores. Tentaram calar o grito do cego Bartimeu (Mc 10.48), mas não conseguiram; ao contrário, ele gritou ainda mais alto. Já no caso da viúva dessa parábola, ela foi até o juiz, pedindo que julgasse sua causa. A insistência dela era tão grande que até o incomodava. Assim como ela, você deve persistir. Não desista do seu sonho só porque está diante de uma situação injusta ou de uma pessoa que não teme a Deus e não respeita as pessoas. O segredo é praticar a fé persistente, rumo à superação dos limites e em direção às grandes conquistas.

A Bíblia nos insta à perseverança (Hb 10.36-38). Muitos não chegam até o final da jornada, principalmente, porque perdem o ânimo no caminho. Desânimo com as pessoas, com a igreja, com a fé e até consigo mesmos. Somente prevalecem aqueles que persistem, mesmo diante dos "nãos". Você tem de acreditar, insistir e clamar. Insistir quando tudo é favorável, é fácil. Qualquer marinheiro sabe velejar quando o vento sopra favoravelmente. A prova está em continuar levantando a vela do barco e controlando a navegação quando o vento é contrário. O nome disso é *fé*.

A vida não nos dá as coisas de mão beijada. Não há nada que caia do céu, a não ser a graça divina, que custou um preço muito alto: o sangue e a vida do nosso Senhor e Salvador Jesus Cristo. Você precisa se esforçar, com coragem, para enfrentar as lutas e os ventos contrários. Persista com fé, mesmo quando todos estiverem contra você. Por mais que o juiz seja impiedoso e não tema a Deus; por mais que o sistema seja contrário, o Senhor é por você — e quando Deus é por nós, quem pode ser contra nós (Rm 8.31)? Àquela mulher, o juiz dizia "não", mas ela voltava, porque em seu coração havia uma fé persistente.

Não desista do seu sonho só porque está diante de uma situação injusta ou de uma pessoa que não teme a Deus e não respeita as pessoas. O segredo é praticar a fé persistente, rumo à superação dos limites e em direção às grandes conquistas.

Muitos são chatos de tanto reclamar, de tanto pedir. Foi o caso da mãe cananeia que foi atrás de Jesus, clamando pela libertação da sua filha endemoninhada (Mt 15.21-28). De início, o Senhor não respondeu e, por essa razão, ela continuou gritando.

Insistiu tanto que os discípulos já estavam incomodados, a ponto de pedir a Jesus que resolvesse logo a situação daquela mulher.

E você? Terá uma fé persistente ou desistirá? Cuidado! Quem desiste jamais obterá grandes conquistas! Supere os limites, com fé e persistência! Você não está mais disposto a acreditar no sonho que foi depositado em seu coração? Aquela viúva praticava a persistência a tal ponto de o juiz dizer: "Ela está me molestando". As bênçãos chegam para aqueles que não desanimam diante dos primeiros obstáculos. A pessoa que realmente acredita na bênção terá sempre uma fé maior que a adversidade. Por persistimos em fé na direção de Deus para a implantação da Comunidade da Esperança, hoje, semanalmente, milhares de pessoas são abençoadas em nossos cultos ao ouvir uma palavra de esperança. Já imaginou se tivéssemos desistido? Muitas vidas deixariam de ouvir o evangelho por intermédio desse ministério.

Jesus ensinou essa lição a Jairo (Mc 5), o chefe da sinagoga que se prostrou diante dele pedindo que curasse sua filhinha doente. Você pode imaginar a angústia no coração daquele pai? O problema é que a ida até a casa de Jairo foi demorada (além de uma multidão que dificultava a locomoção, Jesus interrompeu a caminhada para atender uma mulher que, havia doze anos, sofria com uma hemorragia). Jairo estava aflito, acompanhando Jesus, quando alguns da sua casa chegaram e deram a notícia: a filha dele havia morrido. Como se não bastasse, eles acrescentaram que Jairo não deveria mais importunar Jesus. Mas, por incrível que pareça, aquele pai não desistiu. Ele deve ter ficado triste e cabisbaixo, até que Jesus olhou para ele e disse que não se preocupasse com o que acabara de ouvir: "Não tenha medo. Apenas creia" (Mc 5.36). Em outras palavras: "Não permita que a adversidade da jornada apague a fé persistente do seu coração".

A resposta de Deus para a sua vida tem a porta, o dia e o lugar certos para acontecer. Você não pode desistir só porque a primeira porta se fechou ou porque algumas pessoas disseram "não". Você tem de continuar crendo, buscando e insistindo, até seu sonho convergir com a Palavra de Deus. Insistir, perseverar e acreditar são os verbos que você deve conjugar — até o fim.

Busque a justiça

Quando temos sede e fome de justiça, o que acontece? Jesus disse no Sermão do Monte: "Felizes os que têm fome e sede de justiça, pois serão saciados" (Mt 5.6). Você não pode desanimar ao persistir na busca por algo que é justo. Se você sabe que é o certo, lute pela causa.

Aquela viúva não buscava um benefício ilegal; ela queria justiça. Por mais que o mundo seja injusto, Deus continua sendo justo. Uma hora a justiça de Deus irrompe. Se cometeram injustiça contra você, descanse seu coração: quem julga sua vida é Deus. Caso você não deposite sua confiança na justiça do Senhor, entregará suas expectativas indevidamente a pessoas imperfeitas e injustas.

Jesus fez a aplicação da parábola da seguinte forma: "Aprendam uma lição com o juiz injusto. Acaso Deus não fará justiça a seus escolhidos que clamam a ele dia e noite? Continuará a adiar sua resposta?" (Lc 18.6-7). Ele estava dizendo que um dia a justiça divina romperá como a luz da aurora. Na hora certa, a balança de Deus vai pesar, e ela não é enganosa; pelo contrário, é equilibrada e justa. É por isso que o Senhor nos orienta: "Amados, nunca se vinguem; deixem que a ira de Deus se encarregue disso, pois assim dizem as Escrituras: 'A vingança cabe a mim, eu lhes darei o troco, diz o Senhor'" (Rm 12.19).

Se cometeram injustiça contra você, descanse seu coração: quem julga sua vida é Deus. Caso você não deposite sua confiança na justiça do Senhor, entregará suas expectativas indevidamente a pessoas imperfeitas e injustas.

Não há nada melhor do que você deixar a situação nas mãos de Deus. Ele conhece os detalhes que nós não conhecemos. Busque a justiça. A viúva só estava querendo o que era justo, e Jesus usou o seu exemplo para dizer que Deus faria a justiça devida. A promessa de Deus se cumpre e sua justiça prevalece.

A justiça pode ter sido abandonada pela "corte dos homens", mas o verdadeiro Deus continua sendo justo e fiel. "Maldito é quem confia nas pessoas, que se apoia na força humana e afasta seu coração do SENHOR. [...] Feliz é quem confia no SENHOR, cuja esperança é o SENHOR" (Jr 17.5,7). Confie em Deus. Pare de ficar se remoendo. "Acaso Deus não fará justiça a seus escolhidos?", pergunta Jesus.

Sabemos que os trâmites jurídicos em nosso país são muito problemáticos. Quando um processo é iniciado, ele entra na fila para ser julgado. Como se não bastasse isso, é bem possível que um funcionário venha e coloque outro processo no lugar do seu, isto é, fure a fila. E, assim, a justiça brasileira vai protelando sua própria missão. Mas Deus move situações que vão além da nossa força. Nossa vida não está nas mãos das leis deste país, mas nas poderosas mãos de Deus.

Este é o contraste da parábola: um juiz cruel e um Deus justo. A justiça divina não falha nem tarda: "eu afirmo que ele lhes fará justiça, e rápido!" (18.8). Quando você entrega na mão de Deus, a sua ação corre mais rápido, pois ele agiliza o processo.

Ore apaixonadamente

Jesus indagou: "Acaso Deus não fará justiça a seus escolhidos *que clamam a ele dia e noite?*" (18.7). Ponha sua causa diante de Deus, continuamente, dia e noite, sem cessar. Quem precisa de providências, deve orar como nunca.

Jesus conta a parábola e, no final, enfatiza a necessidade de um relacionamento com Deus. Foi o que ele disse também no início da narrativa: "Jesus contou a seus discípulos uma parábola *para mostrar-lhes que deviam orar sempre e nunca desanimar*" (18.1). Está difícil? Ore mais. Ficou complicado? Continue orando. Bateram a porta na sua cara? Ore. Foram injustos com você? Ore.

Está difícil? Ore mais. Ficou complicado? Continue orando. Bateram a porta na sua cara? Ore. Foram injustos com você? Ore.

Infelizmente, nem sempre obedecemos a essa orientação do Mestre. Ao contrário, reclamamos mais. Nunca vi alguém obter uma grande conquista apenas fazendo-se de vítima. Há quem se faça de coitado, acreditando que essa atitude produzirá algum benefício. Em vez de murmurar, façamos o que Jesus nos ensinou: entre em seu quarto, dobre seus joelhos e fale com Deus, só você e ele (Mt 6.6). Quando você fala a sós com Deus, ele ouve. Quando fechamos a porta do nosso quarto para orar, Deus nos abençoa.

Lembro-me de certa ocasião em que nossa filha Giovanna era ainda muito pequena, com uns 8 anos. Eu estava enfermo, com muitas dores abdominais, me medicava, mas não via melhora no quadro. Ao me ouvir conversar com minha esposa, reclamando do desconforto e da dor, a pequena me chamou e perguntou se poderia orar por mim. Pediu que eu fosse até o seu quarto e dobrasse meus joelhos ao lado da sua cama, para que ela orasse por mim. Giovanna colocou suas pequenas mãos sobre a minha cabeça e fez a oração mais simples e sincera que já ouvi. Como pai, achei lindo e meigo aquele momento. Eu havia desprezado a oração de uma criança inocente, mas cheia de fé. Sabe o que aconteceu? Algumas horas depois, a dor deixou o meu corpo. Glória a Deus! Ele responde com poder quando oramos!

A Bíblia diz que "a oração de um justo tem grande poder e produz grandes resultados" (Tg 5.16). Quando você estiver prestes a desistir, derrame o seu coração no altar do Senhor e persista rumo a grandes conquistas. Nossa maior dificuldade é achar que a justiça só será cumprida quando nós mesmos a executarmos com as próprias mãos. Você quer ser abençoado? Não levante suas armas; antes, eleve seu clamor. Tenha certeza: a sua causa será julgada e você verá a justiça de Deus rompendo sobre sua vida como a luz da aurora.

Parte 3

Fé aplicada a grandes conquistas

8

8

Uma esperança viva

Depois disso, Jesus voltou a Jerusalém para uma das festas religiosas dos judeus. Dentro da cidade, junto à porta das Ovelhas, ficava o tanque de Betesda, com cinco pátios cobertos. Ficavam ali cegos, mancos e paralíticos, uma multidão de enfermos, esperando um movimento da água, pois um anjo do Senhor descia de vez em quando e agitava a água. O primeiro que entrava no tanque após a água ser agitada era curado de qualquer enfermidade que tivesse. Um dos homens ali estava doente havia 38 anos. Quando Jesus o viu e soube que estava enfermo por tanto tempo, perguntou-lhe: "Você gostaria de ser curado?".

O homem respondeu: "Não consigo, senhor, pois não tenho quem me coloque no tanque quando a água se agita. Alguém sempre chega antes de mim".

Jesus lhe disse: "Levante-se, pegue sua maca e ande!".

No mesmo instante, o homem ficou curado. Ele pegou sua maca e começou a andar. Uma vez que esse milagre aconteceu no sábado, os líderes judeus disseram ao homem que havia sido curado: "Hoje é sábado! A lei não permite que você carregue essa maca!".

Mas ele respondeu: "O homem que me curou disse: 'Pegue sua maca e ande'".

"Quem foi que lhe disse uma coisa dessas?", perguntaram eles.

O homem não sabia, pois Jesus havia desaparecido no meio da multidão. Mais tarde, Jesus o encontrou no templo e lhe disse: "Agora você está curado; deixe de pecar, para que nada pior lhe aconteça". O homem foi até os líderes judeus e lhes disse que tinha sido Jesus quem o havia curado.

Então os líderes judeus começaram a perseguir Jesus por não respeitar as regras do sábado. Jesus, porém, disse: "Meu Pai sempre trabalha, e eu também". Assim, os líderes judeus se empenharam ainda mais em encontrar um modo de matá-lo, pois ele não apenas violava o sábado, mas afirmava que Deus era seu Pai e, portanto, se igualava a Deus.

João 5.1-18

A narrativa do encontro de Jesus com o paralítico no tanque de Betesda nos ensina, mesmo que alegoricamente, sobre o trabalho de Cristo na Igreja e por meio da Igreja. Isso significa que esse relato nos ajuda a entender a preocupação que o Senhor Jesus tem com as pessoas. Por mais que você se sinta alheio à preocupação dos outros, saiba, antes de mais nada, que Cristo se importa com sua vida e suas lutas.

Por que Jesus decidiu ir a um lugar onde só havia necessitados? Porque, se há um ambiente que atrai a presença de Cristo, é onde se encontram pessoas que precisam de sua ajuda. Eis a boa notícia: se você precisa de socorro, os olhos de Deus estão sobre você. "O Senhor, porém, está atento aos que o temem, aos que esperam por seu amor" (Sl 33.18). Não é maravilhoso saber que estamos na presença de um Deus que se importa conosco? O Criador do Universo, aquele que é poderoso para fazer todas as coisas, está olhando atentamente para nós neste exato momento. E, quando ele põe seus santos olhos sobre nós, a nossa alma se enche da expectativa de que algo extraordinário está prestes a acontecer.

Eram dias de festa quando, não por acaso, Jesus entrou na cidade de Jerusalém. Sabendo que seu tempo de ministério seria curto — em torno de três anos e meio —, Jesus foi estratégico: precisava agir com intensidade num curto prazo, e por isso aproveitava todas as oportunidades. Ele não deixava de se encontrar com as pessoas nem mesmo nas festas. É só lembrar em que ocasião ocorreu seu primeiro milagre: em uma celebração de casamento, em Caná da Galileia, quando ele transformou água em vinho (Jo 2). Diante de muita gente, Jesus deu início à demonstração pública de seus sinais, prodígios e maravilhas. Onde havia ajuntamento de pessoas, Jesus manifestava a sua glória.

Jerusalém tinha diversas portas de acesso e Jesus decidiu entrar na cidade por uma específica. Normalmente, os peregrinos entravam em Jerusalém com um objetivo comum: ir ao templo. Jesus decidiu, então, seguir pela porta das Ovelhas. Aquele local tinha esse nome porque os peregrinos costumavam entrar por ali levando os animais para serem sacrificados como propiciação por seus pecados.

É justamente por essa porta que Jesus entra em Jerusalém. O texto diz que junto a essa porta havia um tanque chamado Betesda. Alguns historiadores acreditam que aquele local também era utilizado para limpar os animais para o sacrifício e para as pessoas se lavarem de suas impurezas. Ali se reuniam não poucas pessoas feridas, doentes e com deficiências físicas. Uma multidão de enfermos, cegos, coxos e paralíticos aguardava, acreditando que poderia ser curada mediante um estranho fenômeno. A crença popular afirmava que, de tempos em tempos, um anjo vinha do céu, movia a água, e o primeiro que entrasse nela quando fosse movida seria curado.

Do mesmo modo que aquele enorme grupo de pessoas que buscavam superar seus limites físicos, em nossos dias muitos frequentam igrejas no intuito de obter grandes conquistas. Encontramos frequentemente nas igrejas pessoas necessitadas da ação do Bom Pastor no sentido de ajudá-las com suas dificuldades. Algumas pessoas têm uma ideia completamente errada sobre o que é a igreja. Elas se decepcionam porque acham que só pessoas perfeitas a frequentam. A verdade não é essa. Assim como Betesda, a igreja é um lugar de pessoas enfermas, imperfeitas, em busca do único que pode transformá-las para melhor e conduzi-las a um destino melhor.

Assim como Betesda, a igreja é um lugar de pessoas enfermas, imperfeitas, em busca do único que pode transformá-las para melhor e conduzi-las a um destino melhor.

Como já citei anteriormente, quando começamos a Comunidade da Esperança havia em nosso coração uma direção clara da parte de Deus para estabelecer um trabalho no qual a mensagem de esperança e o poder transformador do evangelho fossem anunciados. Desde o início, tínhamos o desejo de oferecer às pessoas uma chance de recomeçar. Foi quando Deus me deu a visão de usar como *slogan* de nossa igreja: *Um lugar de novos começos*, pois acreditamos que, em Jesus Cristo, não importa qual seja o estado atual da sua vida, tampouco o que as escolhas do passado tenham produzido na sua vida, em Cristo tudo se faz novo. Hoje muitas igrejas têm reproduzido nosso *slogan* e o adotado em seu ministério como uma mensagem de esperança.

Todos chegamos aos pés do Senhor com enfermidades espirituais, doenças da alma, feridos psicologicamente, cegos espiritualmente e paralíticos emocionalmente. Chegamos em condições precárias: casamento desestruturado, filhos revoltados, perdidos na vida e em procura desesperada por algo que nos dê esperança. Agarramo-nos a qualquer possibilidade de mudança em nosso quadro desesperador; se houver algum pingo de chance, alguma portinha, uma luz no fim do túnel, iremos de todas as formas possíveis nos agarrar a isso. Essa era a realidade daquela multidão.

Em nossos dias, muitos sofrem intensamente, todos os dias, por motivos variados. São pessoas que se escondem atrás de uma boa maquiagem, um cabelo bem-arrumado, uma roupa muito bem passada, mas, por dentro, sua vida está arruinada, confusa e solitária. Quando as circunstâncias estão difíceis, você sabe que somente uma intervenção divina poderá mudar a situação. Enquanto tivermos recursos, os usaremos. Lembre-se da mulher com hemorragia, que gastou todo o dinheiro que tinha em busca de cura para uma doença que a envergonhava grandemente. O mesmo provavelmente ocorreu com a mulher que ficou encurvada por dezoito anos. O problema chega no nível mais grave quando todos os nossos recursos findam e não há mais nada que possamos fazer, a não ser esperar que algo sobrenatural aconteça para transformar a minha vida.

Talvez este seja o seu caso. Você chega aos pés do Senhor com nada mais do que a esperança de que ele agirá de forma sobrenatural. "Pastor, eu já fiz de tudo: pedi perdão, me humilhei, me esforcei, mandei currículo, fiz de tudo. Preciso que algo sobrenatural aconteça". Jesus aprecia corações cheios de fé. Ele não pôde fazer milagres em algumas cidades específicas, como Nazaré, porque ali não havia fé suficiente (Mt 13.58). Sim, a fé, se estiver em consonância com a vontade soberana de Deus, tem a capacidade de mudar as circunstâncias mais inusitadas e impossíveis.

Autocomiseração ou inveja

É muito interessante perceber que Jesus passa pelo tanque de Betesda, onde havia uma multidão, mas seu olhar é atraído para um indivíduo em particular, uma única pessoa. Jesus faz uma pergunta muito estranha àquele doente: "Você gostaria de ser curado?". Ora, por que ele faz essa indagação tão óbvia? Talvez por haver muita gente vivendo da autocomiseração, isto é, que, no fundo, gosta de sofrer, e vive em função da dependência do outro. Mas há aqueles que buscam a cura, a libertação, a salvação. E a esses Jesus pergunta: "Você gostaria de ser curado?".

Será esse o seu caso? Se for, responda e assuma a decisão de mudar sua própria vida, para que possa superar os limites e rumar em direção a grandes conquistas. Ouça a pergunta de Jesus e encare-a como um desafio que Deus lhe faz: você está disposto a entregar-se, sem medo, a ele?

O quadro daquele homem não era simples; ele já sofria havia muito tempo. O texto diz que ele jazia enfermo havia 38 anos! Você tem ideia do que é viver dessa forma por tanto tempo? De vez em quando, você enfrenta uma crise, uma luta de uma semana, um mês, alguns meses, e já acha que o mundo está desmoronando bem à sua frente. Um risco enorme que enfrentamos em uma situação assim é que, quando o sofrimento se prolonga demais, nós acabamos nos acostumando a ele.

O ser humano tem a capacidade de se acomodar à dor. Talvez você sofra com uma patologia crônica há tanto tempo que já nem ore mais para Deus livrá-lo desse mal. De igual modo, há pessoas que se acostumam com sofrimentos da alma, como decepções e fracassos.

Algo que me chama a atenção naquele homem é que ele não se acostumou com seu estado de miséria. Mesmo após 38 anos, de alguma forma ele ainda acreditava que algo novo aconteceria se ele conseguisse entrar nas águas milagrosas. Ele nos ensina uma lição: por mais que sua dor seja extensa, por mais que seu sofrimento já perdure por muitos anos, alimente a esperança de que o fim virá, de que chegará o dia de salvação, da cura, da estabilidade emocional. Temos de viver com essa esperança viva na alma.

Por mais que sua dor seja extensa, por mais que seu sofrimento já perdure por muitos anos, alimente a esperança de que o fim virá, de que chegará o dia de salvação, da cura, da estabilidade emocional. Temos de viver com essa esperança viva na alma.

Não sabemos há quanto tempo aquele homem ia regularmente ao tanque, mas certamente não era novo ali, já que o texto revela que ele havia presenciado vários milagres ocorrerem na vida de outras pessoas. Esta talvez fosse mais uma dura prova para ele: além de esperar pela cura que não vinha, ele ainda tinha de lidar com a cura dos outros. Você diz: "Estou buscando, estou clamando", e quem recebe a bênção é outro. É difícil, mas precisamos aprender que as pessoas podem ser abençoadas antes de nós. Muitos não conseguem lidar com isso e ficam revoltados, por se acharem injustiçados. Pensam que merecem a bênção mais que o outro; afinal, estão na igreja há mais tempo. Tome cuidado. O hábito da comparação pode deixá-lo amargo. Guarde o seu coração dessa tentação, sabendo que Deus tem o tempo certo para cada pessoa.

Senhor, não tenho ninguém

Qual era o motivo pelo qual aquele homem não conseguia a cura? Na opinião dele, é porque "não tenho quem me coloque no tanque quando a água se agita. Alguém sempre chega antes de mim" (v. 7). Mesmo assim, ele continuava lá, na expectativa. Vale a pena insistir, vale a pena acreditar, mesmo quando não vemos nossa bênção chegar.

Se a espera é longa, temos também a tentação de criar um discurso que nos alivie da responsabilidade. Jesus pergunta ao homem: "Você gostaria de ser curado?". Apesar da obviedade, essa pergunta é extremamente importante, porque dá àquele homem o direito de resposta, de elaboração do seu próprio discurso. O problema é que ele respondeu com uma reclamação.

Antes de se apressar em culpá-lo, lembre-se de que ele estava havia 38 anos sem conseguir o que mais ansiava. Os cansaços físico, emocional, espiritual e psicológico eram intensos. "Senhor, não tenho ninguém", disse ele. Em vez de reconhecer e celebrar a presença divina e a manifestação da glória de Cristo, ele apenas reclama e não responde objetivamente à pergunta que Jesus havia feito.

Jesus está diante de nós, e não percebemos porque estamos com a atenção tomada por nossos problemas. Aquele homem me ensina que o discurso dos nossos lábios pode ser contaminado por uma espera muito longa e, em vez de nos apossarmos da oportunidade, apenas reclamamos do que não aconteceu, desperdiçando a chance de viver algo que está prestes a acontecer. "Estou aqui há tempos e ninguém me pergunta se estou precisando de alguma coisa, nem que seja de uma oração", você pode reclamar quando está na igreja. "Ninguém me pergunta se eu tenho algum problema em casa. Ninguém, ninguém, ninguém!". Enquanto isso,

Jesus está aqui, perguntando a você: "O que você quer que eu lhe faça *agora*?".

Esqueça o que ficou para trás; afinal, você está diante daquele que tem todo o poder de mudar a sua história daqui para a frente. Ele mudou a vida daquele homem, radicalmente, de forma imediata. Após a cura, a demora perdeu a importância.

Que bom é saber que Jesus não se deixa levar pelo nosso discurso pessimista! Logo após a resposta do homem, o Senhor lhe diz: "Levante-se, pegue sua maca e ande" (v. 8). Como é bom receber um imperativo como esse! Talvez seja isso de que você precise, de imediato: fazer algo que mude a realidade da sua vida hoje. Portanto, levante-se, tome uma atitude, creia que Deus pode agir de modos que você nem imagina para ajudá-lo a superar limites e fazê-lo conquistar grandes coisas!

O paralítico até então não sabia quem era Jesus, como revela o versículo 13. Mesmo assim, ele confiou no visitante, porque havia uma santa expectativa de que alguém pelo menos aceitasse ajudá-lo a descer às águas no momento certo. Mas Jesus queria dar-lhe muito mais do que isso, e as expectativas daquele homem foram superadas abundantemente. Você está disposto a acreditar naquilo que Deus lhe diz, a apegar-se àquilo que o Espírito Santo lhe apresenta pela Palavra? Apegue-se com todas as suas forças à Palavra. Não importa se faz sentido, se você entende ou não, mas apegue-se à Palavra de Deus.

Depois que Jesus ordenou que aquele homem levantasse e andasse, o texto diz que *no mesmo instante* o homem que não andava ficou curado. Quando Jesus encontra ovelhas feridas numa situação de dor, tristeza ou autocomiseração, é possível que ele mude a realidade da pessoa de forma imediata. Como é bom saber que Jesus pode manifestar seu poder em nossa história neste exato momento! Mesmo que você tenha entrado pela porta repleto de machucados, decepções e crises insustentáveis, ele, com o poder da sua palavra, com autoridade exclusiva, pode lhe dizer: "Fique bem! Seja curado e liberto agora!". Você, então, experimentará o mesmo que aquele homem.

Você está disposto a acreditar naquilo que Deus lhe diz, a apegar-se àquilo que o Espírito Santo lhe apresenta pela Palavra? Apegue-se com todas as suas forças à Palavra. Não importa se faz sentido, se você entende ou não, mas apegue-se à Palavra de Deus.

Quando Jesus fala, coisas extraordinárias acontecem. Minha oração é que o Espírito Santo sopre sobre nossa vida, mudando um cenário de caos e tristeza. O ambiente começará a mudar, assim como no “vale de ossos secos” da visão de Ezequiel: começa com um barulho no meio da sequidão de ossos, mas, pelo poder da palavra liberada, tudo começa a mudar. Foi o que aconteceu com o homem do tanque de Betesda: diante da voz de Cristo, sua vida mudou e ele seguiu em frente, com a maca nos braços e os pés, enfim, com a força necessária para caminhar.

A vida com Cristo é assim: é para a frente, e não marcha à ré. A vida cristã não pode ficar estagnada, sem movimento, sem propósito. Sua família não pode repetir os mesmos problemas durante tantos anos. Jesus vem, encontra as ovelhas feridas e, independentemente do tempo necessário, usa seu poder e destrava seu futuro. Jesus tem o poder para fazer isso. Aquele homem vivia num estado de estagnação total havia 38 anos. Por causa de apenas uma palavra, ele começou a andar.

Jesus de Nazaré tem compaixão de nós. O que ninguém faz por nós, ele faz. E não é apenas nos ajudar a subir no tanque de água milagreiro; Cristo é a própria fonte de milagre, cura e esperança.

O reencontro: gratidão e salvação

Horas depois de ter curado aquele homem, Jesus o reencontra no templo. O ex-paralítico não está mais à procura de um milagre; seu coração tão somente está transbordando de gratidão. Ele, agora, está agradecendo a Deus e testemunhando sobre sua bondade. O primeiro encontro foi no tanque de Betesda e o segundo, no templo. Jesus está tanto dentro quanto fora da igreja. Não deixe de buscá-lo em todos os lugares.

Jesus e o homem conversam. Diferentemente do que ocorreu no primeiro encontro, Jesus não pergunta mais nada a ele, mas faz uma advertência muito séria: "Agora você está curado; deixe de pecar, para que nada pior lhe aconteça" (5.14). O que poderia acontecer de pior ao homem curado? A intenção de Jesus não era ameaçá-lo, como se fosse o Deus vingativo que muitos pintam em sua mente. Ele não nos trata assim. Se Deus fosse nos punir pelas nossas incoerências, as igrejas estariam vazias.

O aviso de Jesus dizia respeito ao fato de que pior do que o flagelo do corpo é a ferida da alma. O pecado contínuo gera perdição eterna. Jesus não estava mais preocupado com o presente, mas, sim, com o futuro daquele homem. Nosso corpo pode ser curado, mas ele é mortal, perecível e finito. Lázaro ressuscitou da morte (Jo 11), mas você não o vê andando por aí hoje em dia. Não! Um dia,

Se Deus fosse nos punir pelas nossas incoerências, as igrejas estariam vazias.

ele voltou a morrer. Não tem jeito. O problema é a questão da alma, e é o pecado que enferma a alma e causa a condenação eterna. Jesus cura as mazelas do corpo e as aflições que afligem a carne, mas ele também é poderoso para dar-nos a vida eterna. Afinal, se no primeiro caso há chance de cura, no segundo, quando acontecer, infelizmente, não haverá mais esperança.

Não há limites para Deus. Se você caminhar com ele, o Senhor o fará superar todos os limites. Ouça sua voz: "Você gostaria de ser curado?". Não feche seus ouvidos à divina voz, mas responda ao seu chamado, com gratidão no coração, e parta em busca de grandes conquistas.

9

Certamente estarei com você

Então o anjo do SENHOR veio e sentou-se debaixo do grande carvalho em Ofra que pertencia a Joás, do clã de Abiezer. Gideão, filho de Joás, estava debulhando trigo no fundo de uma prensa de uvas, a fim de não ser descoberto pelos midianitas. O anjo do SENHOR apareceu a Gideão e disse: "O SENHOR está com você, guerreiro corajoso!".

Gideão respondeu: "Meu senhor, se o SENHOR está conosco, por que nos aconteceu tudo isso? E onde estão os milagres de que nossos antepassados nos falaram? Acaso não disseram: 'O SENHOR nos tirou do Egito'? Agora, porém, o SENHOR nos abandonou e nos entregou nas mãos dos midianitas!".

Então o SENHOR se voltou para ele e disse: "Vá com a força que você tem e liberte Israel dos midianitas. Sou eu quem o envia!".

"Mas, SENHOR, como posso libertar Israel?", perguntou Gideão. "Meu clã é o mais fraco de toda a tribo de Manassés, e eu sou o menos importante de minha família!".

"Certamente estarei com você", disse o SENHOR. "E você destruirá os midianitas como se estivesse lutando contra um só homem".

Gideão respondeu: "Se, de fato, posso contar com tua ajuda, dá-me um sinal de que é mesmo o SENHOR quem fala comigo. Por favor, não vás embora até que eu te traga a minha oferta".

Ele respondeu: "Ficarei aqui até você voltar".

Gideão foi depressa para casa. Cozinhou um cabrito e, com cerca de vinte litros de farinha, preparou pães sem fermento. Depois, colocou a carne num cesto e o caldo numa panela, os levou para fora e os ofereceu ao anjo que estava debaixo da grande árvore.

JUÍZES 6.11-19

Aqueles eram tempos difíceis para a nação de Israel. Os midianitas oprimiam os israelitas, e muitas vezes eles tinham de morar em cavernas para não serem alcançados pela maldade de seus inimigos.

Não havia muita expectativa além da sobrevivência. Os israelitas não progrediam e as conquistas de outrora não se repetiam mais. A quantidade de inimigos era tão grande que eram comparados a gafanhotos, pois invadiam terras a fim de conquistá-las e destruir tudo o que estava à vista. Foi nesse terrível cenário que os filhos de Israel, já bem debilitados, começaram a clamar a Deus. Nisso, entra em cena um homem chamado Gideão.

O anjo do Senhor aparece a Gideão debaixo do grande carvalho em Ofra e, vendo-o debulhando trigo, afirma: "O SENHOR está com você, guerreiro corajoso!". Gideão ouve a voz, mas faz uma pergunta sarcástica: "Meu senhor, se o SENHOR está conosco, por que nos aconteceu tudo isso?". Em outras palavras: "Senhor, espera, tu estás dizendo que és comigo? Não, tem alguma coisa errada, porque essa conta não fecha. Como dizes que és comigo se tanta coisa ruim está acontecendo? Como é possível tu estares presente e ainda assim nos sobrevir tudo isto? Se o Senhor é comigo, por que estou aqui, debulhando trigo, escondido?".

Gideão, num momento de grande adversidade, é visitado por Deus. Não há nada que se compare a uma visitação do Senhor em nossos momentos de luta. Deus está conosco durante toda a nossa jornada de fé, como Jesus prometeu (Mt 28.20). Não há um dia sequer em que você esteja sozinho. Mas é interessante que, quando oramos e Deus se apresenta, quase nunca temos uma palavra positiva, apenas lamentos. É muito mais fácil reclamar, murmurar, procurar defeitos do que aproveitar a oportunidade de estar na presença do próprio Deus.

Gideão está diante do anjo do Senhor e sua primeira reação é o desânimo. Ele olha para trás, com tristeza, numa reclamação pelo "sumiço" de Deus. Gideão sabia que a presença do Senhor muda a história, mas seus olhos estavam tomados pelo passado. Quando Deus se manifesta em sua vida, você tem de começar a viver a partir de agora na perspectiva do futuro, de que algo novo da parte do Senhor está prestes a acontecer. É por isso que Paulo escreve aos filipenses: "esquecendo-me do passado e olhando para o que está adiante" (Fp 3.13).

Enquanto você estiver preocupado com o que aconteceu, não poderá viver o que ainda acontecerá. Hoje é um novo tempo. Deus nos conduziu até aqui para dizer: hoje é um divisor de águas na sua vida. Esqueça o que ficou para trás e comece, pela fé, a contemplar o horizonte de conquistas que o Senhor preparou para sua vida. Todos cometemos erros que precisamos esquecer. Há coisas que precisam ser deixadas para trás, porque, senão, elas vêm nos assombrar.

Precisamos receber a visita do Senhor, para que possamos começar a caminhar rumo àquilo que Deus está preparando. Ficamos presos no passado e não percebemos que Deus já começou a realizar algo novo: novas portas, novas conexões, novos sonhos... novas e grandes conquistas!

Gideão vivia o mesmo problema que todos nós: a "crise do museu", que nos leva a querer embalsamar aquele tempo em que tudo era bom e lindo, em que os problemas não eram tão graves como os de hoje. Desejamos o trabalho anterior, o salário mais alto. Porém, devemos viver na expectativa de que Deus sempre tem coisas novas e excepcionais para derramar sobre a vida daqueles que nele confiam e esperam. Por mais que você tenha vivido tempos extraordinários ontem, nada se compara àquilo que o Senhor ainda pode realizar em sua história. O passado passou e o futuro é um oceano de possibilidades! Eu celebro o que Deus fez, mas antecipo pela fé aquilo que maior ainda ele pode fazer.

Ficamos presos no passado e não percebemos que Deus já começou a realizar algo novo: novas portas, novas conexões, novos sonhos... novas e grandes conquistas!

Precisamos superar a ideia de que o Senhor nos desamparou. Alguns cristãos são muito mimados, porque não conseguem enfrentar a realidade de que Deus muitas vezes permite que passemos por apertos. Eles só vão aos cultos para se alegrar e se emocionar, sem amadurecer na sua espiritualidade. Quando Deus visita alguém, não é simplesmente para dizer: "Coitadinho dele! Está sofrendo, não é?". Sua visita é para nos encorajar e nos impulsionar rumo a um novo tempo de grandes conquistas.

Você é forte

Deus visita Gideão – um homem valente – debulhando trigo no fundo de uma prensa de uvas, a fim de não ser descoberto pelos midianitas, e lhe diz: "Vá com a força que você tem". Eu gosto dessa expressão. Deus consegue enxergar coisas em nós que não conseguimos. Quando você acha que não tem mais nada a oferecer, Deus olha para você e diz: "Você é forte".

É uma pena quando contraímos a "síndrome de Gideão", isto é, aquele pensamento inferiorizante que nos leva a dizer: "Eu sou o menor, o mais pobre". Deus não erra endereço nem entrega mensagem sem sentido. Ele não é como um carteiro inexperiente, que não conhece o logradouro, nem o número da residência. Se Deus falou com você hoje, pode parecer algo absurdo ou surreal, mas apenas creia que ele encontrou em você força suficiente para, equipado pelo poder que vem do alto, realizar grandes coisas, para a glória do seu santo nome.

"Sou eu quem o envia!", diz Deus a Gideão. O homem valente titubeia: "Mas, SENHOR, como posso libertar Israel?". Ou, em outras palavras, "Eu não tenho o que preciso, Deus. Eu não tenho as conexões corretas". Mas, como bem disse o apóstolo Paulo:

> Lembrem-se, irmãos, de que poucos de vocês eram sábios aos olhos do mundo ou poderosos ou ricos quando foram chamados. Pelo contrário, Deus escolheu as coisas que o mundo considera loucura para envergonhar os sábios, assim como escolheu as coisas fracas para envergonhar os poderosos. Deus escolheu coisas desprezadas pelo mundo, tidas como insignificantes, e as usou para reduzir a nada aquilo que o mundo considera importante. Portanto, ninguém jamais se orgulhe na presença de Deus.
>
> 1CORÍNTIOS 1.26-29

Deus não errou quando chamou Gideão, nem quando vocacionou você. O Senhor escolhe as coisas loucas para envergonhar os que se acham sábios. Você precisa ter uma ideia exata de como Deus vê o seu potencial. Nunca despreze isso.

Uma das histórias mais fascinantes que já li é a do pastor anglicano itinerante George Whitefield, que viveu no século 18. Ele perdeu o pai quando tinha apenas 2 anos. Com 10 anos, precisou trabalhar para ajudar a mãe, o que o forçou a ficar longe dos estudos por alguns anos. Contraiu sarampo e, com a doença, veio o estrabismo. George teve muita dificuldade para estudar, mas, mesmo assim, conseguiu ingressar na mais renomada faculdade da Inglaterra, Pembroke College, em Oxford, trabalhando como garçom em um hotel, engraxando sapatos dos professores e carregando livros para os colegas mais abastados.

O Senhor escolhe as coisas loucas para envergonhar os que se acham sábios. Você precisa ter uma ideia exata de como Deus vê o seu potencial. Nunca despreze isso.

Em meio às suas lutas, Whitefield ouviu o chamado divino e começou a pregar. No início, as pessoas zombavam dele por conta de sua deficiência visual. Seus olhos vesgos geravam certo desconforto nos outros, mas a certeza de que ele tinha sido chamado pelo Senhor o encorajava a pregar e anunciar as boas-novas de Cristo. Foi na Pembroke College que Whitefield conheceu os irmãos John e Charles Wesley. Por causa da influência de Whitefield, uma nação inteira foi alcançada. Ele foi aos Estados Unidos e, lá, um avivamento aconteceu. Mesmo diante das suas dificuldades, Whitefield acreditava que o Senhor faria coisas extraordinárias por meio dele.

O Deus de George Whitefield está com você neste exato momento. Ele pode fazer a mesma coisa com a sua vida. Talvez a sociedade o despreze e os outros digam que você não preenche os requisitos mínimos necessários, mas Deus pode fazê-lo superar limites e vencer grandes desafios. Deus pode levá-lo muito além do que você imaginou!

A Gideão, o Senhor disse: "Certamente estarei com você", a fim de que ele nunca jamais duvidasse de que estava realizando uma tarefa no poder de Deus. É por isso que mais tarde aconteceria o episódio em que Gideão esperava um número suficiente de homens para combater os midianitas, mas Deus foi diminuindo gradativamente o tamanho do exército israelita: de dez mil soldados, ele reduziu a tropa a uma quantidade improvável de trezentos, contra um número de adversários tão grande que eles "cobriam o vale como uma nuvem de gafanhotos" (Jz 7.12). Por que Deus fez isso? Ele queria que Israel deixasse de confiar em suas próprias forças e reconhecesse o seu divino poder (7.2). Quando Israel venceu, Gideão deve ter lembrado das palavras do anjo do Senhor naquele dia, debaixo do carvalho de Ofra: "Você destruirá os midianitas como se estivesse lutando contra um só homem".

O Senhor não quer que você viva uma utopia. Ele não deseja que você construa sua vida de contos de fadas. A vontade dele é que você perceba bem o grau de dificuldade: conte o número de inimigos, mas, ao mesmo tempo, reconheça o que a voz dele diz: "Eu sou por você e todos os seus inimigos caíram por terra".

O segredo de Gideão ainda vale para nós hoje. Deus é por você! Ele o ajudará a vencer, mesmo com pouca gente ao seu lado. Talvez muitos não acreditem na visão e no sonho que Deus lhe deu, mas não se preocupe: ele é por você! Então, mergulhe de cabeça, porque ele vai surpreendê-lo, como surpreendeu Gideão, George Whitefield e milhares e milhares de pessoas que ousaram crer que, se confiarem em Deus, nada será impossível, superarão limites e partirão em uma jornada gloriosa rumo a grandes conquistas!

Conclusão

A vida é uma jornada extraordinária! Uma jornada que já começou, que já está em pleno andamento. Por essa razão, não há tempo a perder! A grande questão é *como* será essa viagem, o que depende de muitos fatores. O Senhor nos dá espaço para caminharmos de maneiras diversas, debaixo de sua soberania, e o modo como caminhamos faz toda a diferença.

É claro que todos desejamos realizar uma jornada bem-sucedida e, no decorrer dela, superar todos os limites e obter grandes conquistas. Meu maior anseio é que cada palavra escrita neste livro tenha sido uma semente plantada que frutifique e seja útil para direcioná-lo a dias melhores, a começar hoje. Deus nos chama para romper, caminhar e conquistar, debaixo da sua bênção, com o objetivo de trazer glória ao seu santo e bendito nome. Glória a Deus!

Se ainda há conquistas que você não alcançou, prepare-se adequadamente, sem duvidar do que parece impossível, e siga os princípios necessários para superar os obstáculos e alcançar o que Deus já tem preparado para a sua vida. Nesse processo, a fé é indispensável — uma fé que reinventa caminhos, que persevera, mesmo em meio a muitas adversidades. Uma fé que jamais desiste.

Ao aplicar sua fé para obter grandes conquistas, você precisa manter viva a sua esperança e jamais desanimar, mesmo que demore para alcançar o que deseja. Assim como o homem que aguardou 38 anos para receber a bênção divina, pode ser que demore, mas, sendo a vontade de Deus, aquilo que ele pôs em seu coração vai acontecer.

O principal é você ter a certeza de que o Todo-poderoso está sempre com você. Ele caminha ao seu lado na jornada, o sustenta, fortalece e anima. Na hora em que a fé fraqueja, você precisa se lembrar de que o próprio Cristo afirmou que estaria conosco todos os dias. Todos os dias! Você jamais está só e não percorre a jornada da vida desacompanhado — ele está presente. "Certamente estarei com você", disse o Senhor a Gideão. E, se você é filho, saiba que ele não o deixará nem o desamparará.

Fortaleça suas pernas, levante os olhos e, cheio de confiança inabalável, parta, com fé e esperança, superando limites, rumo a grandes conquistas! Há um futuro extraordinário à sua espera!

Sobre o autor

Flavio Valvassoura é pastor da Igreja do Nazareno Central de Campinas e da Comunidade da Esperança, em Campinas (SP). É formado em Teologia pela Faculdade Nazarena do Brasil e pelo Beeson Institute do Asbury Theological Seminary (EUA), com ênfase em pregação bíblica e liderança eclesiástica. Pastor, escritor e conferencista internacional. É casado com Ana Paula e tem duas filhas, Laura e Giovanna.

Compartilhe suas impressões de leitura escrevendo para:
opiniao-do-leitor@mundocristao.com.br
Acesse nosso *site*: www.mundocristao.com.br

Equipe MC:	Maurício Zágari (editor)
	Natália Custódio
Diagramação:	Luciana Di Iorio
Revisão	Josemar de Souza Pinto
Gráfica:	Imprensa da Fé
Fonte:	Book Antiqua
Papel:	Norbrite Cream 67 g/m^2 (miolo)
	Cartão 250 g/m^2 (capa)

Cuidado com o que você chama de impossível! Este livro vai inspirá-lo a viver uma vida em que tudo é possível quando o assunto é pautado em Deus. Esta é uma leitura que vai inspirá-lo, encorajá-lo e enchê-lo de fé. Parabéns ao meu amigo Flavio e obrigado por ser uma inspiração para todos nós.

Costa Neto

Pastor sênior da Comunidade Cristã Videira em Fortaleza e Natal — Hillsong Family

Conheço Flavio Valvassoura há muitos anos. Homem de Deus, pessoa inspiradora e brilhante, é uma testemunha viva de limites superados. Seu ministério ultrapassa os muros institucionais e exerce grande influência tanto na liderança pastoral emergente quanto entre os mais experientes na caminhada atual da igreja evangélica brasileira. Por isso mesmo, recomendo e estimulo a leitura deste precioso livro, que traz em suas entrelinhas a alma e as experiências do autor. Há uma relação espiritualmente coerente e, portanto, harmoniosa entre a vida e a pregação de Flavio Valvassoura e os princípios aqui apresentados. Esta obra é, pois, uma extensão do autor, um espelho de suas experiências ministeriais, que vale a pena ser degustada por quem tem apetite aguçado por verdades. Verdades essas que possam nutrir o ministério e a vida com novos desafios e novas conquistas, rumo a um novo tempo no reino.

Estevam Fernandes

Pastor da Primeira Igreja Batista de João Pessoa (PB)

Flavio Valvassoura é um homem de Deus, um servo do Altíssimo, um vaso de honra, um pregador entusiasmado, um amigo muito precioso. Sua vida recomenda sua obra. Seu testemunho é avalista de suas palavras. Neste precioso livro, ele partilha conosco princípios bíblicos importantíssimos para rompermos barreiras, vencermos obstáculos e superarmos limites. Não é um livro de autoajuda, mas de ajuda do alto. É uma obra que ilumina a mente, aquece o coração e desperta a alma para uma vida maiúscula. Leia esta obra com a mente aberta, o coração sedento e aplique à sua vida os princípios aqui compartilhados. Boa leitura!

Hernandes Dias Lopes
Pastor da Primeira Igreja Presbiteriana de Vitória (ES),
diretor executivo da Luz para o Caminho,
conferencista e escritor

Como líder de influência nacional, Flavio Valvassoura apresenta neste livro chaves que o levarão a um novo patamar. Como alguém que já percorreu o caminho e obteve avanços significativos em sua jornada, Flavio pode mostrar a outros como chegar ao centro da vontade de Deus. Sua vasta experiência, adquirida ao longo de anos de ministério, irão ajudá-lo a obter grandes conquistas.

J. B. Carvalho
Bispo da Comunidade das Nações, em Brasília (DF)